女性の品格

装いから生き方まで

坂東眞理子
Bando Mariko

PHP新書

はじめに――凜とした女性に

『国家の品格』（藤原正彦著、新潮新書）が関心を集めましたが、品格ある国家は品格ある個人の存在が前提になります。品格ある一人一人の個人があってこそ、品格ある家庭が、品格ある企業が、品格ある社会が成り立つのです。その逆ではありません。まず個人の品格ありきです。

では人間個人としての品格とは何でしょうか。

正義感、責任感、倫理観、勇気、誠実、友情、そして忍耐力、持続力、節制心があり、判断力、決断力に富み、優しく思いやりがあるなどという美徳は、品格ある人間であるための重要な要素です。

また、自分の利益だけを追求しない、弱い人をいたわり助ける、強い人におもねらない、自分の受けた親切に恩返しをするなどの行動規範は、どの宗教や道徳でも強調されています。逆に、「勝てば官軍」「稼ぐが勝ち」のような手段を選ばずという生き方は卑しいとされています。人のものを盗む・壊す、人を傷つける・殺す、人を妬み悪口を言うなどという言動は、どの社会でも宗教でも禁止されています。

もちろんそういう教えはあっても、人間はなかなかよいことはできず、悪いことをしてしまう弱い存在です。ですから教育や学習、指導や矯正、信仰などを通じてくりかえし善行、美徳を教え、多くの人がその意味を考え、次代に伝えようとしてきました。

ところで人間としての品格の基礎が古今東西を問わず、男女を問わず共通なら、なぜ今回あえて女性の品格について書いたのでしょうか。女性の品格と男性の品格は違うのでしょうか。もちろん、身長や体重、筋力、運動能力などは男女で異なります。それでは精神面ではどうでしょうか。男らしさ、女らしさは大事にしなければなりませんが、男らしい男性は勇気、判断力、決断力、責任感に富み、女らしい女性は優しく、思いやりや忍耐力、持続力があり、節制心があるものだと割り切るわけにはいきません。

品格のある男性は、勇気や判断力、決断力、責任感に富むと同時に、思いやりや忍耐力があります。孔子やイエス・キリストのような聖人はいうまでもなく、源義経、豊臣秀吉、坂本龍馬など人気のある歴史上の人物は、勇気や決断力があるとともに、優しく思いやりにあふれたエピソードも伝えられています。

私が出会った現代の品格ある男性の多くも、決断力や勇気、責任感のような「男らしい」美徳に富むと同時に、「女のような」優しさや思いやりも十分にもっておられました。もちろん勇気や決断力に富み、責任感が強く、そして優しく思いやりのある女性たちにも、数え切れないほど出会いました。品格ある男性と女性は共通するところが多いというのが実感です。

それでもあえて「女性の品格」としてこの本を書いた理由は三つあります。

第一は、現代の社会のなかで女性の生き方、役割が大きく変わり、伝統的な道徳が通用しなくなったにもかかわらず、新しい基準が確立せず、混乱が見られるからです。男尊女卑の型にはまった女らしさにとらわれる必要はありませんが、乱暴な行動をしたり、粗雑な言葉を使ったり、弱いものをいじめたりしていいわけがありません。新しい美徳が求められています。

第二は、男性たちが従来の組織人間、会社人間の枠にどっぷりつかり、お金や権力の魔力からぬけ出せないなかで、女性も男性の轍《わだち》を踏んで同じように権力志向、拝金志向になってはならないと思うからです。私は女性が社会に進出し活躍することが必要だと信じていますが、それは従来の男性と異なる価値観、人間を大切にするよき女性らしさを、社会や職場に持ち込んでほしいと思うからです。女性が社会に進出しても、「できる女」を目指し有能なやり手ばかり増えるのはさびしいことです。

第三は、地球環境の問題、途上国の人たちが抱える問題、高齢化、科学や技術の進歩などがもたらす新しい諸問題のなかで、私たちの社会がどうあるべきか、どう生きるかがあらためて問われているからです。自分の家族の幸せだけを考えていればよい時代ではありません。地球レベルの女性の品格が求められています。

この本は女性の品格について書いたつもりでしたが、結果として、人間の品格とは何か、品格ある生き方とは何かについて考えざるをえませんでした。具体的な日常生活での振舞い方について書いた部分と、生き方考え方に関わる部分がありますが、その両方があいまって品格とは何かが浮かび上がるように努めました。

この本に込めた私の願いを理解していただければと願ってやみません。

女性の品格　目次

第二章　品格のある言葉と話し方

第三章　品格ある装い

第四章　品格のある暮らし

第五章　品格ある人間関係

第六章　品格のある行動

第七章　品格のある生き方

［イラスト］あべゆきえ

第一章　マナーと品格

礼状をこまめに書く

品格のある交際は、まず礼状を書くところから始まるといっていいでしょう。

日本人はあまり礼状を書きません。恥ずかしいことに、私も長い間礼状を書く習慣がありませんでした。私だけでなく、私がかつて勤務していた公務員社会では、公的な会食に呼ばれることがあっても、礼状を書くことはほとんどありませんでした。忙しくてそんな時間がないという言い訳が通用する社会でした。仕事がらみの会食は仕事のうちという感覚でした。個人的にお招きを受けた場合も、ついその習慣で礼状を出しませんでした。今になるとなんて心ないことをしてきたのだろうと恥ずかしくなります。

ところが、オーストラリアで総領事をしていたときには、公邸のディナーに招待した人からは必ずといってよいほど礼状が届き、今までの自分を大いに反省しました。「美味しいお食事をありがとうございました。すばらしいホストと心に残る時間を楽しみました」「楽しい会話とすばらしいゲストのなかに私を加えていただきありがとうございました」――レセプションにお招きした方からも礼状が届きました。招いたほうの立場として礼状をもらうのはうれしいものです。楽しんでいただければそれが一番うれしい、礼状など期待してはいけないと思うのですが、楽しかったと言われると、やはりうれしいものです。

この経験をしてから、私もできるだけ礼状を書くように心がけています。今は電話もありますし、電子メールも普及しています。わざわざ封筒に宛名を書いて切手を貼って礼状を出すのは悠長な話ですが、それがその人の人柄を伝えます。文章が得意でないならば、アメリカでよく利用されているように、サンキューカードを利用するのもいい方法でしょう。綺麗なデザインのカードに一言言葉を添え、署名をすればよいのです。記念切手を買いだめておいて貼りましょう。時間が取れない、字が下手だ、気の利いた文章が思い浮かばないとか、礼状を書けない理由は山のようにありますが、自分を甘やかさないよう頑張りましょう。

これが習慣になると、礼状を書かないと気持ちが落ち着かなくなってきます。カードや封筒と切手を常備しておくと、必要なときにすぐ出せます。自分の名前や住所入りの封筒や便箋をもつのも、なかなかかっこいいものです。

会食だけでなく、ギフトをもらった、いい話を聞いた、本をもらった……礼状を書く機会はたくさんあります。相手の琴線にふれるような名文句の礼状を出そうとしているうちに、お礼のタイミングをのがさないようにしましょう。とにかく、「書く」ことです。感謝の気持ちを丁寧に伝えることは、あなたの品格を高めるだけでなく、あなたの人生を豊かにする魔法の杖でもあるのです。いろいろな集まりに顔を出し、名刺を配り歩くのがネットワークづくりではありません。心の込もった礼状によって、あなたの名前は相手に好意とともに刻みつけられるはずです。

約束をきちんと守る

品格のある人とは、なにより人から信頼される人です。信頼されるには信頼される行動を取らねばなりません。信頼されるためにはすばらしい言葉を言うより、きちんとした行動を少しずつ積みかさねていかねばなりません。信頼関係を築くためにはホームランは必要ありません。投げられたボールをこつこつとバットに当てていくだけです。具体的に言えば、約束した時間を守る。約束した仕事は約束した期限に仕上げる。出席すると言った会合には必ず出席する。電話すると言ったことは電話する。誰かに紹介すると言ったら紹介する。送ると言った資料は必ず送る。あげると約束したものをあげる。見せてあげると言ったものを忘れずに見せる。一つ一つはたいしたことではありません。ついうっかり忘れてしまいそうなことです。でもこうした小さいことの積み重ねが、あなたの信用を作るのです。ちょうど百円、二百円の小銭を口座に積み立てるようなものです。こうしたお金が積もり積もって大きな財産になっていくように、日頃の約束を守る行動が、気がついたらあなたの信用状になり、あなたの品格を高めていくのです。

私も昔は、先輩から「そのうちメシでも食おうか」「ゆっくり時間をとって話したいね」などと言われて楽しみにしていたのに、いつまでも実現しないのでがっかりしたことがあります。そのうちに「この人はいわばリップサービスでいろんなことを約束するだけなのだ」と分かると、がっかりしなくなりました。それと同時に、この人は愛想はいいけれどアテにできない人だ、この人のなかで自分は重要と思われていないと自分の心のなかでバッテンをつけました。もっとも今では、彼は心優しい人でその時その場の好意の気持ちを自分なりに表現していたのだと寛容に考えられるようになりました。

もう一つ、必ず言ったことは守らなければならないと心がけるといいことがあります。それは、できない約束はしなくなることです。自分に秘書や有能な部下がいて、こうした頼まれごとを敏速に処理してくれるときは、いろいろな頼みごとを引き受けてもいいですが、そうでないときは（残念ながらそういうときが大部分）、自分の余力を考えて約束そのものをコントロールしなければならなくなってきます。

相手を喜ばすには気軽に頼みごとを聞いてあげるのがよいでしょうが、できない約束をするのは自分の信用、自分の品格を下げます。気楽に頼みを聞いてあげないと、気易い人、愛想のいい人だとは思われなくなるかもしれませんが、「あの人は信用できる人だ」と尊重されます。

そのためには約束したことを忘れないようにしなければなりません。自分の言ったことと、約束したことは覚えていたつもりでつい忘れてしまうことがしばしばあります。悪気がなくても約束を破れば、意図的に相手を軽んじて約束を破ったことと同じで、自分の信用は台なしです。私も自分は記憶力がいいほうだとうぬぼれていましたが、最近は「えっ、そんなこと約束した？」ということが多くなりました。自分の記憶力を当てにしないで、必ずメモをする習慣をつけましょう。手帳はそのためにあるのです。

「あの人に千円お茶代を立て替えてもらっている」「割り勘の分を払っていない」「借りた本を返していない」……。

小さな約束からまず守りましょう。

型どおりの挨拶ができる

あらたまった席であらたまった挨拶をきちんとできることは、人間が社会生活をするために不可欠なことです。ところが、これが苦手という若い人は多数います。自分たちの仲間内での気楽なおしゃべりならば何時間でもできるのに、仲間以外の人の前で話をするのは緊張してあがってしまう。何をどう話せばよいのか分からない。だから逃げる。

社会人になると、きちんとした組織では新人研修としてそうした挨拶の仕方や、お辞儀の仕方、口のきき方なども教えてくれるでしょうが、コスト削減が進むなかで、そこまで教えてくれない組織も増えています。販売や営業など外部との接触が多い組織で働く人は、実践で鍛えられていきますが、技術系や、企画・研究などに携わっていると、外部の人と接する機会が少なく、苦手意識がなかなか克服できません。

昔から冠婚葬祭といわれる機会は、現在の社会生活では記念祝賀会、結婚式の披露宴、お葬式やお通夜、しのぶ会などでしょうか。そのときの立ち居振舞いで大事なことは、おどおどしない、きょろきょろしない、うろうろしないことです。遠慮してひたすら控えめに振舞うのが女らしいとか、上品だということはありません。堂々と、礼儀正しく行動しましょう。

特に発言しなくてもいい一参加者の場合は、受付で招待状を出し、主催者に「今日はお招きありがとうございます。このたびはおめでとうございました（ご愁傷様でした）」と丁寧に言うだけです。長々と余計なことを言う必要はありません。主催者は多くの招待客や会の進め方、準備状況に気を配らなければならないので忙しいのです。

知っている人がいない場合は、不祝儀の場合はひっそりしていてもいいですが、おめでたい席では隣の人に自己紹介して、当たり障りのない話題で話しましょう。天気の話でも、交通の話でも特に気の利いたことを言う必要はありません。誰かに紹介してもらわねば話さない、相手が話してこなければ、こちらからは話しかけないと気取る必要はありません。「世話のやける人」にならないでおきましょう。

スピーチや挨拶を求められたときは素直に受けましょう。「女らしい」遠慮しすぎは雰囲気を壊します。政治家など挨拶に慣れている人は、本当にうまいスピーチをしますが、それは少数です。飛びぬけてうまいスピーチをしようと思うと負担になります。品格をもって型どおりにお祝いを述べて、型どおりにお悔やみを言えばよいのです。

型どおりにお祝いを言うというのは、大きな声で自分の名を名乗り、おめでとうございますと言い、主催者を祝い、会の趣旨に賛意を示す。前もってどのようなことを言ってほしいか、主催者に聞いておくのもいいでしょう。友人代表としてか、同僚代表としてか、若手代表としてか、それにふさわしいエピソードを一つ紹介すれば上出来です。最後にもう一度あらためておめでとうございますと締めくくればいいのです。自信がなければ、紙に書いて読み上げてもいいでしょう（できるだけ自分の言葉で話すのがいいのはもちろんです）。

かっこよくて気の利いた、自分をアピールするすばらしい話ができればもちろん素敵ですが、それは簡単ではありません。まずは型どおりに話をできるのが品格ある女性の必要条件です。その必要条件を満たせるようになってから、プラスアルファとして個性をあらわすようにしましょう。

相手に喜ばれる物の贈り方

物を贈るのは難しいものです。本当に相手に喜ばれる物を贈っているといいのですが、実は迷惑をかけている場合もあります。いかにも高価な物を贈るのも相手を当惑させます。一方的にもらいっぱなしは失礼ですから、相応のお返しをしなければならないと考えると気が重いという人もいます。

たしかに欧米より日本のほうが、交際に物のやり取りをすることが多く、また高価な物を贈る傾向があるようです。日本独特の風習として、お中元、お歳暮があります。私の出身地の富山では、お嫁さんの実家から嫁ぎ先にお歳暮にブリや新巻鮭を贈るという風習がありました。そうした風習は今は廃《すた》れつつあります。上司の家に部下からお歳暮やお中元を贈る組織も昔は多かったようですが、最近は減っているようです。

一年に二回、日頃お世話になってお礼をする機会のなかった人に感謝を示す好機として、お歳暮やお中元を贈る人もいます。私は上司や仕事の関係者や友人や知り合いへのお中元やお歳暮は原則としてはしなくていいのではないかと思っています（周囲の慣習にもよりますが）。それよりも時期をずらして、季節の特産品などを贈るほうが、相手に感謝されるのではないでしょうか。

結婚祝いや出産祝い、お香典などのお返しも盛んに行われます。その際にも形に残るもの、好みのはっきりしたもの、センスが問われるものは基本的に避けたほうがベターです。となると海苔とか、お茶とか、定番のものがいいということになりがちです。たしかに海苔やお茶のような日常的な必需品や消耗品で品質のいいものは歓迎されます。タオルやシーツもその意味でよく使われます。しかし、それだけに重なることも多く、古くなると価値が下がりますので注意が必要です。最近はこうしたお返しはパンフレットから選べるものが増えています。極端な例では、商品券でお返しをする例もあります。ものがあふれているからということでしょうが、やや味気ない話です。

私がなかなかいいなと思うギフトは、毎年頑張っている農家から届く野菜、果物、あるいは「ぜひこれはおすすめだから」と推薦つきで特定のひいきのお店から上等な梅干や、お味噌、お醤油、お漬物を贈る方法です。いかにも贈り主の丁寧な生活ぶりがしのばれるいい贈り物だと思います。

地元名産のお米などを贈るという方もいましたが、お米も日常欠かせないものなのでもらってうれしい贈り物です。

私はそれに加えて、お花を贈るのもいいかなと思います。バラの切花などはすぐしおれてしまいますが、冬の水仙などはよく日もちします。シクラメンなど小さな鉢植えも私はもらってうれしいギフトです。自分では日常買わないけれど好きなもの、役には立たないけれどうれしいものを贈りましょう。儀礼として物を贈るのではなく相手の気持ちを想像して贈るとその心は伝わります。

お付き合いの基本には愛情や感謝が不可欠です。愛情や感謝の心をいろいろな形で表すようにしましょう。贈り物はそのための手段であり、表現方法だと心得るべきです。

手土産を持っていく

ホームパーティーやディナーに招かれたとき、アメリカやオーストラリアの人はワインか花、時には手づくりのクッキーなどの手土産を持っていきます。それほど高価でなく、その場で活用されるものが主流です。日本人でも昔は高価な手土産を持っていって相手を当惑させることもあったようですが、それほど気張らないで訪問をする人も多くなったようです。逆に、何の手土産も持たずに訪問する若い人も多くなりました。

こうした訪問をする際には、もちろん大げさな手土産は要らないと思いますが、手ぶらで訪問するのは失礼だと思います。人を迎える側はそれ相応の準備をし、時間をかけているのですから、それに感謝の意を表すのは当然のマナーです。その際もギフトを選ぶときと同じで、高価でいいものだけど自分では買わないような食べものやお菓子やお花を少量というのが素敵だなと思います。一番いいお返しは、自分も別の機会にお招きすることです。

海外旅行の際にお餞別を贈る習慣は廃れ、そのお返しのお土産を買って帰ることは少なくなりましたが、ちょっとしたモノを旅の思い出としてもらうのはうれしいものです。私の母は、お財布をもらうのが好きだったので、私は旅行の際、時間があるとお財布を選んでいました。母は「お財布は多いのだけれどなかに入れるお金は多くない……」と言いながら、旅先で自分のことを思い出してわざわざ買ってくれたことがうれしいと感謝していました。また「カエル」とか「カメ」にまつわるものを集めているというように、相手の好みがはっきりしている相手には、お土産が買いやすく助かります。

旅先ではブランド物のショッピングをするよりも、こうした小物を贈る相手を思いながら買って、その人にプレゼントすることで、旅の楽しみは増えるように思います。もちろんお返しはなしという前提です。

ビジネスの場面では訪問しても手土産を持ち歩くことはほとんどなくなりました。会社名やロゴ入りの文房具などは、もらってもあまり感謝の気持ちにならないのは自分で買ったのではない、会社のお金で買った（作った）ことが見え見えだからです。手土産は

自腹を切ったものでないと感謝されません。

目から鼻に抜ける感じのやり手ビジネスパースンから、頼みごとだけをどんどん押しつけられると、いかにビジネスといえどいい気持ちはしません。ちょっと負担にならない程度のギフトは、人間関係をスムースにします。たとえば打ち合わせなどにたまに和菓子などを手土産に持ってくる人がいると、新鮮で印象が残ります。とても忙しくてそんなことに気が回らない、時間がないというのが現実でしょうが、少しのゆとりが人柄のよさを感じさせます。また世話になっている人に、その上司へのお土産やギフトを託してもいいです。それによって、彼がその上司に話す機会がもてる、いい顔ができるというのは、直接本人がギフトをもらうよりうれしいこともあります。

また海外でホームステイするとき、招待される予定があるときは、手土産を忘れないようにしっかり準備しましょう。よほど言葉に不自由がなく、話題が豊かな人は別として、海外ではものを通じて会話ができる、心を通わせるということがよくあります。日本的なもの、話題が広がるものを用意しましょう。

電話のかけ方

電話はとても便利なコミュニケーションツールです。ビジネスにとって欠かせない道具であるばかりでなく、プライベートな生活も電話なしでは成り立たなくなっています。携帯電話が普及してからは、ますますなくてはならぬ道具になっています。それだけに上手に使いこなすかどうかが重要になってきています。

電話のマナーの初歩の初歩ですが、まず電話では自分の名前を名乗り、話していいかどうか、相手の都合を聞きましょう。とりわけ当人とすぐつながる携帯電話の場合は、相手とどういう状況でつながっているか分かりませんから、「いま話していいですか」と聞くのは絶対の条件です。なかなかつかまらない忙しい人をつかまえると、うれしくなってすぐ話そうとしますが、会議中かもしれませんし、顧客に何か説明をしているときかもしれませんし、電車に乗ったり車を運転しているときかもしれません。そういうときはマナーモードにしておくべきですが、切り替えるのを忘れているときもありますから、必ず相手の都合を聞きましょう。

また固定電話の場合、電話がつながっても当人が留守のときがあります。そのときは取次ぎの人に自分の名を名乗り、いつかけ直せばよいか聞きましょう。その時間がどうしてもこちらの都合と合わないときや急いで伝える用件があるときは、マナー違反ではありますが、相手から電話を入れてもらうように頼みましょう。電話してほしいときは相手が知っているはずと思ってもこちらの電話番号を忘れず伝えましょう。

たまたま都合よく話ができても長電話はやめましょう。若い人はとりとめもなく友人と三十分でも一時間でも話すことがありますが、大人はそんな悠長な時間はないのです。一人暮らし同士でさびしいときは、電話が人と繋がる重要な役割を果たしますが、よほど気心の知れた相手でも十分以上の話はやめにしましょう。

電話は顔が見えませんし、相手の状況が分かりませんから、言葉がすべてです。その口調によって不愉快な気分も、食べたり飲んだりしている様子も、意外に電話でははっきりわかるものです。「テレビ電話」のつもりで、相手に笑いかけたり、頭をさげたりするつもりで話しましょう。自分では普通に話していても電話ではきつく伝わる話し方の人は、面と向かって話すよりも丁寧に優しく伝えるように特に気をつけましょう。できるだけゆっくり、はっきり、柔らかく話すよう心がけてください。

電話とならんで、メールもいまやコミュニケーションの重要なツールです。相手の名前を〇〇様とまず書いて用件を書く。できるだけ短く、要領よく書いて相手の時間をとらないようにする。多くの人に同じ文書を送るときは、Ｂｃｃ（ブラインドカーボンコピー）で、個人情報がもれないようにするというマナーを守りましょう。メールがくるたびに返事をするよりも、まとめて一日分の返事を書くほうが効率的ですが、出し忘れ、返事し忘れに注意しましょう。ホームページやブログは匿名で心ない書き込みをする下品な人がいることを覚悟しておきましょう。

人を訪問するときは相手の都合を聞きましょう。「すぐ近くまで来たからついでに寄りました」という訪問者は、こちらが暇なときは大歓迎ですが、いろいろ取り込んでいるときは、むげにもできないし困ってしまいます。それを見分けられないと嫌がられます。用があるときは、しっかりアポイントを取って訪問するのが鉄則です。アポイントなしの訪問は、顔が見られれば大幸運、すぐに失礼するつもりで行きましょう。本当はとても失礼なことをしているのだとわきまえておかねばなりません。

断るときほど早く、丁寧に

会合に出席するように誘われれば、無視されているよりうれしい、何かの役職を頼まれるのは自分に力がある、利用価値があると思われている証拠と思うと、いろいろなことをどんどん引き受けたいところですが、時間とエネルギーは限られています。

会費を払うのがいや、自分の将来のビジネスや収入や会社の評価に関わりのない仕事は引き受けたくないとムダなことは引き受けないで断りつづけていると、いろいろな機会や可能性を逃してしまいます。これはとてもさびしい人生です。

ぜひ出席したい、引き受けたいと思っても、他の予定と重なったり、そのときの事情で断らざるをえないこともあります。そうしたときはできるだけ早く断りの返事を出しましょう。断るのは引き受けるより心のエネルギーを必要とします。本当は出席したくても「残念、ダメだ」と分かったときにはすぐ返事をしておきましょう。なんとかなるだろうと楽観的に考えていると、ダブルブッキング、トリプルブッキングになってしまいます。

どうしてもはずせない先約があるから断らざるをえないという単純な場合は、悩む余地なく断らざるをえません。できるだけ早く丁寧にお断りの返事をしましょう。どうしても気がすまないならば祝電を打つ、手紙を書く、花を贈るという手配をお断りしたそのときにあわせてしておきましょう。「アトでゆっくり手配しよう」と思うと、必ずといっていいほど忘れてしまいます。

しかし現実生活はそう単純なケースばかりではありません。「本当は断りたいんだけど、相手に義理があるから出席しなければならないかな」「出たほうがいいのだけれど、楽しくなさそうだから気が重いな」「よい働きを期待してもらえるのはうれしいけれど、自分には荷が重いな」といろんな理由で断りたいときがあります。そうした気が進まないときは、だいたい無理をして引き受けないほうがいいのですが、それでもすぐに断れないときは丸一日だけ猶予をもらうとか、次の週の月曜日までに返事をしますとタイムリミットを設けて考えて返事をしましょう（一週間のうちにいろいろ入ってきた予定をまとめて週末に整理するというのもなかなか効率的です）。

　私自身はお断りするのが下手で、時間の調整をすればちょっと顔を出せるのではないか、あまりたいしたことはできなくても少しはお役に立てるのではないか、とぐずぐず思い悩んで返事を引き延ばしてしまうのですが、これは相手に対しても自分にとってもよくないことが多いのです。

　頼まれて一週間二週間もそのままにしておくと、先方の予定がたちません。引き受けてもらえると当てにしていたところで断られると、次の人に声をかけるタイミングを失ってしまいます。断るときほどできるだけ早く断らなければなりません。自分で決めたタイムリミットまでどうしても決心がつかないときは断りましょう。

　そして断るときは、ハガキなら必ず自筆で理由と、たとえば盛会を祈る言葉を書き、電話ならできるだけ丁寧に声をかけてもらったことを感謝して、しかしこれこれの理由で引き受けられないというように、礼を尽くして断りましょう。断るときほど丁寧に、声をかけてもらったことに感謝を込めてというのが鉄則です。

パーティーのマナー

会食やホームパーティーでのマナーはいろいろありますが、基本は客が相互に楽しく過ごすことです。私が総領事のとき、公邸に招く会食で一番気を遣ったのは客同士の組み合わせでした。お互いが出会いを喜ぶような組み合わせ、話題が弾むような組み合わせができれば会食は成功したも同じです。いいお客はそうしたホストの意を汲んで会を盛り上げてくれます。食事中にナイフやフォークの音を立てないようにする、スープは音を立てて飲まない、政治や宗教などの話題や自分ばかり話すことを避ける、などの細かい注意はすべてお客同士が楽しむための配慮で、あまりにこだわりすぎる必要はありません。

そうした楽しい時間が終わったら、三三五五客は帰りはじめます。その際一人一人を丁寧に送り出すのがホストとホステスの務めです。会食中は客全体に気配りしなければならないので、一人一人と話す時間はとれないことが多いですが、見送るときには個人的に時間をとって丁寧に見送りましょう。出席してもらったこと、会を盛り上げてくれたことを感謝し、活躍や健康を祈って送り出します。その返礼として客は必ず礼状を出します。

こうした心遣いはすべての場で通用します。会社の飲み会の幹事でも、お得意様を招待したときでも、企業説明会でも主催者になったらその会が盛り上がるよう工夫をします。出席者が楽しめるように気を遣い、出席者に感謝する。招かれたほうも、割り勘だからとか、企業交際費や広報費の経費で落ちるのだからもてなされて当然という態度をしないことです。

自分が主催者側、もてなす側の経験をすると、どんな客がいい客か分かります。主催者の心遣いや、招待されたことに感謝し楽しく振舞い周囲の人とうちとけ、会を盛り上げるように協力するのがいいお客です。会の進行や準備に欠点を見つけだし、不機嫌に振舞い雰囲気をこわす客は、困りものです。ビジネスがらみの会でも、ホームパーティーやディナーに招かれたように振舞うことで、自分の品格は上がります。

ビジネス関係もフォローが大事です。売り込みやプレゼンテーションのアポイントを取るためには気を遣っていろいろ準備する人でも、その後どうなったのか、どう進行しているか、報告する人は多くありません。とりわけ企画コンペで負けたり、相手との大きなビジネスが終わったりすると、それまで足繁く通っていたのに、ばたっと顔も出さなくなる人がたくさんいます。

これは何度でも強調したいのですが、本当の人脈はパーティーでいろいろな人と知りあい名刺を交換するよりも、こうした仕事や日常の関わりのある人との信頼関係をつくり、それを続け深めていくことでつくられます。信頼されるには売り込みのときだけではなく、その後のフォローが何より大切なのです。よい客をたくさんもっているバーのママさんたちは、多くの客に始めから終わりまでは付き合えないけれど、送り出すときは必ず時間をとって丁寧に温かく、「また来よう」と思わせて送り出すそうです。彼女たちは接客業のプロで、それでお金をもらっているのだから当然かもしれませんが、私たちの付き合いのヒントにはなります。

長い人間関係を大切にする

学校でクラスが一緒だった、同じ職場で働いた、同じマンションに住んでいた――などの偶然がきっかけで親しくなる友人がいます。一時期は何でも話し、いつも行動をともにし、一緒に食事をし、ショッピングに出かけ、映画や展覧会にも出かけ、家族以上に親しくなります。ところが学校を卒業する、職場が変わる、住所が変わるというように環境が変わると、ぱったり付き合いをとぎらしてしまう人がいます。また新しい環境におかれれば、その場でまたとても仲よくする友人ができるのでしょうが、私はそうしたそのときそのときの短期の人間関係を上手に開拓してそれを使い捨てにしていく人は、あまり品格があるとは思っていません。

女性同士、男性同士の友人でも、恋人でも、かけがえのない人生をある時期ともにした人を切り捨てていくのは、自分の過去を切り捨てていくような気がします。環境が変われればともに過ごす時間は減り、共通の話題は少なくなるかもしれませんが、たとえ流れは細くなったとしても交流を続けてゆけば、本棚に愛読書が増えるように友人が増えていきます。

そのためにはは具体的にはどうすればよいのでしょうか。昔は一年に一度は年賀状を取り交わしましょうと言われていました。年賀状によって近況を知り住所を確かめる。欧米の人たちにとってはクリスマスカードがその役割を果たすようです。最近は年賀状の代わりにメールで新年の挨拶をすませる人も増えています。それでもいいですが、住所も確認できる年賀状には捨てがたいものがあります。メールアドレスはときどき変える人が多いので、生涯メールアドレスというサービスも出てきていますが、そこまでしなくても一年に一回か二回、お年賀メールか暑中見舞いメールを出しましょう。メーリングリストを作りメルマガを定期的に送るという人もいます。メールは使いこなせば人間関係を維持するとても強力なツールです。何よりありがたいのは、郵送料がほとんどかからないことです。

同窓会や同期会は百パーセント出席は無理でも、三割打者を目指して三回に一回は出席するようにするとか、たとえ印刷した挨拶状でも住所変更、人事異動の知らせが来たら、返信を書くとか過去に繋がる関係を大事にしていきたいものです。

一番印象的なのは、かつてとても濃密な時間を共有した人に、適切な機会に適切なギフトを贈ることです。結婚・出産など人生の節目節目の知らせを聞いたら、心を込めてカードを書き、その人の好みに合ったギフトを選んで贈りましょう。ふだんはめったに会わず電話さえしなくても、久しぶりに、そんな節目に送る贈り物は心を込めて……。あの方は私のことを忘れていなかったのだ、という驚きは感謝の気持ちに繋がります。

贈り物をしなくても、年賀状を忘れていても、大事にしたい友人はいます。たまに会ったときに懐かしがり、温かい言葉を掛け合う友人もいいものです。また、たまに一年に一回、二年に一回声をかけてくださる友人も嬉しい存在です。

「君子の交わりは淡きこと水の如し」という言葉に、なんてなまぬるい友情だろうと思ったことがありますが、そうした淡々とした友情が長く続くのも品格ある人間関係なのです。現実に、柔らかいネットワークが転職などで役に立つという研究もあります。

いつも連絡を取り合うような親しさとはいえませんが、自分を長くフォローしてくださる人がいると心が温まります。私もそのように友人や若い人を見守れたらいいなと思います。

記念日を大事にする

私の誕生日を覚えていてくれて、いつも本とカードをくださる人がいます。年をとるとだんだん祝ってくれる人が少なくなるなかで、変わらず本とカードをくださるので感激します。先日も別の友人が私の誕生日を覚えていて、オーストラリアから電話をくれました。多くの人は家族の誕生日は覚えていますが、友人たちの誕生日はあまり覚えていません。最近は誕生日にメールをくれる人も増えています。私も友人の誕生日をきちんと覚えなければと自分のずぼらさを反省させられます。

その方に秘訣を聞くと、昔のビジネス用の卓上日誌に友人や自分の大事な人の誕生日を書き込んでおいて毎週日曜日にチェックするのだそうです。一冊そうしたメモリーブックを作っておくと、「今日は誰の日」と分かります。たしかに記憶力には限界がありますから、記録するのはとてもいい方法です。欧米では綺麗でがっしりした表紙の永く愛用できるような、メモリアルダイアリーを売っています。結婚記念日や妻の誕生日を忘れる男性たちにもぜひ薦めたいものです。

姪や甥の誕生日を覚えておいてあげるのも喜ばれます。

友人の子どもの誕生日、お世話になった方の記念日にギフトを贈れば、お歳暮やお中元を贈るよりずっと印象的で喜ばれるでしょう。

そうしたお付き合い用の記録だけでなく、自分のためのメモリーブックを作るのもいいかもしれません。「サラダ記念日」のように、恋人との大切な思い出の日でもいいですし、試験に合格した日、今の住まいに引っ越してきた日など、自分にとって大事な思い出の日を記録しておきましょう。

先日、友人のご家族と一緒に美しい庭園のある料理屋さんでお昼を食べました。若葉が日に輝いて、すいれんが咲き、いつも忙しくて一緒に過ごす時間の少ないご夫婦と二十七歳の息子さんが、お互いに写真を撮りあっていました。ガンから生還したご夫人にとっても、人生の方向がやっと見つかった息子さんにとっても、忘れられない日だったろうと思います。友人は、「こんな日があると生きているのも悪くないと思える」と言っていました。九十二歳で死んだ私の母も、桜が咲いた、月が美しいと毎日感動して自己流の短歌を書きとめていました。その母が喜んでくれた桜見の思い出は、私にとっても人生の宝です。

気分がとても沈んだとき、もう自分の人生にはよいことがないように思うとき、そうした記録は自分を励まし、よいこともあったのだ、自分の人生は悪いことばかりではなかったと思うよすがになります。

過去を振り返らない生き方も一つの美学でしょうが、人生は一日一日の積み重ねです。季節も、恋も人の栄華も移ろっていきます。だから、かけがえのないこの日こそが人生そのものと思えば、一日一日をいとおしむ気持ちになります。

第二章 品格のある言葉と話し方

敬語の使い方

品格ある言葉というと、「……あそばせ」「ごきげんよう」に代表される「ざあます言葉」のような特別に丁寧な言葉を指すと誤解している人がいます。女性の場合、特に女っぽすぎる敬語表現は日常生活では効率が悪く場違いです。

もちろん敬語を自然に使えるのはとても大事です。日本語の上手な外国の人でも、一番難しいのは敬語の使い分けだといいます。たしかにそれほど親しくない外国の方から、「バンドーさんセンセイしてるの。それいいね」などと友だち同士の間で使う言葉で話しかけられると、ちょっと違和感があります。日本人の場合はなおさらです。それほど親しくない人からは、敬語は使ってもらわなくてもいいから、せめて丁寧な言葉で話しかけられたいと思います。「ございます」は不自然なので、「です」「ます」が適当です。学校では年上の人や目上の人には敬語を使いましょうと教えられましたが、私は敬語というのは、年齢や地位にあわせて使い分けるより、相手との距離感に応じて使い分けるべきだと思います。

それほど親しくない人と会うときは、何はともあれ敬語を使いましょう。たとえ相手が年下であろうと職場の地位が低い場合であろうと、よほど親しくなるまでは敬語など丁寧な言葉を使うべきです。女性管理職のなかには男性部下をクンづけで呼んだり、「整理しておいて」「電話して」など気軽な言葉を使う人がいますが、それは自分の品格を落とします。ウチワの仲間として親しい気持ちを表しているつもりかもしれませんが、単に威張っていると見られます。部下に対しても、「整理しておいてもらえますか」「電話をしておいてください」と丁寧に言うほうが、ずっと気持ちよく動いてもらえます。

仕事における初対面の場面で、こちらが買う立場や選ぶ立場だと、相手は最上級の敬語を使います。「今度こちらの会社の説明に伺わせていただいてよろしいでしょうか」といった調子です。それに対して、「ああいいわよ、来てちょうだい」などとカジュアルな口を利いていてはいけません。「恐れ入ります。ご足労かけますが、どうぞいらしてください」と受けるべきです。自分が強い立場、上の立場でもそれを当然として大きな顔をするのではなく、相手を立てる言葉が自分の品格を高めるのです。相手の敬語には同格以上の敬語で応じましょう。気心が知れて親しくなってきたら、最上級の敬語でなくて、普通の丁寧な言葉でいいかなとも思いますが、それも相手次第です。相手が最上級の敬語を使ってほしいと思っている関係なのに、こちらが心安い関係になったと思って敬語を使わないと、相手は気を悪くします。敬語を使っていた人に敬語をやめるのはリスクがあります。基本的にはどの相手にも、です・ます調の丁寧語を使いつづけるのが安全です。バカバカしいですが、まだまだ男性は女性から尊敬されないと居心地が悪い、対等の口をきかれると不愉快だと思う人が多いのです。あえて事を荒だてることもないでしょう。

仕事や職場関係の人とは敬語が使えるのに、プライベートな場では敬語が使えないという人もいます。何か他人行儀な感じがすると思うのでしょうか。親しき仲にも礼儀ありです。できるだけ「です・ます」調を使いましょう。女性同士のプライベートな関係だと敬語抜きの言葉があふれますが、度が過ぎるとそばで聞いていて聞き苦しいものです。友人と話すときもあまりにも無防備な言葉で話すのはやめ、せめて他人に聞かれても恥ずかしくない言葉遣いをしましょう。

品格のある話し方

初対面で人を判断するときは、外見が九〇%とも言われますが、話し方も大きな比重を占めます。残念なことに話の中身は対人イメージにほとんど影響しないようです。簡単なことですが、ゆっくり話すだけで印象はかなり変わります。ゆっくり話すと落ちついた安定感のある人だと思われるのです。現代は情報があふれているので、一定の時間にできるだけ多くのことを伝えようとしてみなが早口になっています。民放テレビのアナウンサーやレポーターといわれる人も早口ですが、NHKのアナウンサーでさえ、若い人は昔に比べて早口になっています。早口で話すと頭の回転も速いと思われる、生き生きしている、若々しいと思われるからでしょうか。

しかしゆっくり話すほうが話は確実に伝わり、人々には好感をもたれます。早口の人はせっかちでゆとりがない人と思われます。せっかちな人は自分でも意識してスピードダウンして、間を取りながら話すようにしましょう。相手の反応を見ながら分かりやすく話す余裕が、安定した穏やかな人格を感じさせるのです。

声の調子や高さも大事です。女らしいか細い声や、高い声は聞き苦しく安定感がありません。特に目上の人の前や男性の前では女っぽくしなを作ろうとしてわざとらしい猫なで声や、高い声を出す人がいますが、品のない女性と思わせます。

最近日本でもテレビニュースのメインキャスターの女性は、いわゆる女らしい高い声でなく、落ち着いたアルトの声で話すようになりました。イベントの司会、屋外での挨拶などでは高い声のほうがよくとおり映えますが、一般には自然な落ち着いたアルトの声が、長く聞いていて疲れません。特に会議での発言、プレゼンテーションのときに緊張すると、声が高く上ずってしまうという人もいますが、そういう人は腹式呼吸を二、三回して、落ち着いて下腹から声を出すように努めるといい声が出ます。

また口のなかで、もぞもぞ言っているような発音がはっきりしない人は、大きく口を開けて「あいうえお、かさたなはまやらわん」と口の筋肉を動かす訓練をしてできるだけ発音をはっきりするようにしましょう。口を大きく動かす訓練をしていると、英語の発音をよくするのにも効果があります。こうした発音練習、発声練習はボイストレーニ

ングの基礎です。

実は私もオーストラリアで総領事をしていたとき、少しでも上手に英語でスピーチができるようにと思って、ボイストレーニングを受けました。母音は十分にはマスターできませんでしたが、ｔｈやｖやｆの子音は、口をはっきり動かす訓練でかなり上達しました。腹式呼吸は日本語でも英語でも重要です。

声が小さいのも、ひそひそ話か、陰口か、自信がないからだと疑われますし、言いたいことが伝わらないのでは困ります。声が大きいと秘密の話にはむきませんが、生命力がある、裏表がないと好感をもたれます。また語尾がはっきりしないと、いかにも自信なさそうに聞こえます。平安時代の女性は語尾をはっきりしないであいまいにぼかすような言い方に品があると思われていたなごりでしょうか。その反動か、語尾をはっきり強調する人もいますが、それもきつく聞こえます。大きな声ではっきりと、しかしわざとらしく強調せず語尾まできちんとした言葉を話しましょう。

ネガティブな言葉を使わない

「癖のある人」と「個性的な人」の差は紙一重です。「おうような人柄」と「つめが甘い」は似ていますが、評価は反対です。「だらしない」というのと「おおらか」と表現するのでは、イメージはガラッと変わります。「癖がある」という言葉からは、その人に対する反感が感じられ、「個性的」というと、好意とまではいかなくても温かさが感じられます。アメリカでは「個性のない人だ」は「つまらない人だ」と同じです。

いずれにしても○○な人だと決めつけるのはあまりいいことではありませんが、なかでもネガティブなレッテルを貼ってしまうのはやめなければなりません。失敗に対しても、その失敗だけを指摘すればよいので、「なにをしてもダメな人ね」とその人の人格全体を否定するような決めつけは間違いです。頼んだことがうまくいかなくて、怒りに任せて「もうあなたには頼まないわ」などというと相手を深く傷つけます。

私自身も失敗があります。「手の内をさらすのはまずい」とか、「○○さんにはしっかり振りつけといたから」とか、「○○先生を使おうか」などと職場の仲間内で言っているのを、「そんな言葉を使うと自分を貶《おとし》めますよ」と外部の方からやんわりたしなめられたことがあります。自分の品を下げるような言葉遣いは、仲間内でも使わないように心がけるべきです。

仕事がゆっくりしている職場の部下や後輩も、「とろい」「のろま」と決めつけないで、とても丁寧な仕事をする人だとプラスに表現しましょう。掃除や整理をするのが苦手な人が、しばしばエネルギッシュな行動力をもっているように、長所と短所はわかちがたく結びついています。

相手の長所を温かく表現してあげると自分の評価にも跳ね返ります。「あら太ったわね」とか「顔色が悪いわね」「疲れているの」というような気になる言葉を言われたら、誰でもちょっと嫌な気分になります。言った本人は何気なく言っているつもりでしょうが、デリカシーがありません。

「神経質な方かと思っていましたが、そうではないのですね」「きっとエリートで怖い方かと思っていました」などという言い方も、たとえ否定されても自分はそういうように思われているのかとあまりいい気持ちはしません。相手の気持ちに配慮せず、ずけずけと言いにくいことを面と向かって言うことを売りにしている女性もいますが、尊敬されるより恐れられているので注意しましょう。周りの人たちには「頑張ってね、応援しているから」「きっとあなたなら大丈夫よ」とポジティブな言葉をかけましょう。

他の人に対してマイナスイメージの言葉を使わないようにするのと同様、自分に対してもマイナスイメージの言葉は使わないようにしましょう。「私はいつもドジで」とか「もうトシですっかり衰えました」などと卑下しすぎるのはよくありません。自分に対して「どうせ私なんか」という言葉を使わないことです。自分を少しでもよくしようという気力が感じられません。特に「どうせ」という投げやりな言葉を使いはじめたらおしまいです。

人間は生まれながらに平等です。かけがえのない存在として侵すべからざる人権を与えられています。しかしそのことを自覚し、少しでも自分を磨き、人のためになることをしようと努力するか、いい加減に投げやりな日を送るかで、人間の格は違ってきます。品格のある人間になる、人を傷つける言葉は口にしない、できるだけ折り目正しいきちんとした美しい日本語を話すように意識する――こうした日々の行いを続けることによって、大きな違いが生まれてきます。

魔法の言葉「ありがとう」

外国語会話を覚えるときに、一番重要な言葉は「ありがとう」にあたる言葉です。

ありがとうという言葉によって、見知らぬ外国人の心の扉を開けることができます。道を教えてもらったり、お店でサービスしてもらっても「サンキュー（Thank you）」や「メルシー（Merci）」と言えば、相手の気持ちがやさしくなります。

もちろん日本語でも、「ありがとうございます」を自然に適切な場で適切に使えれば、とてもエレガントで品格も高まります。たとえばレディファーストでエレベーターで先を譲られた場合、知らん顔で乗るのでなく、ちょっと会釈して「ありがとうございます」という一言を添えます。席をつめて座る空間を作ってもらったときには知らない人にもありがとうと言います。着ている洋服やアクセサリーをほめられた場合も、「いいえ安物なんですよ」なんて下手に謙遜するよりさりげなく「ありがとうございます」と受けましょう。

自分の仕事をほめられた場合も、素直に「ありがとうございます」と感謝します。もちろんチームでした仕事の場合は、「みんなで頑張ったんです」とか「○○さんたちのおかげです」とつけくわえます。書いた論文やスピーチをほめられると、うれしくなっていろいろ工夫した点や独自性を言いたくなるのですが、その場合も「ありがとうございます」と軽く受けましょう。

もちろんこちらからも仕事を手伝ってくれたり、伝言を伝えてくれた人にはありがとうと心を込めてお礼を言います。その職に就いているから手伝うのが当然という態度ではいけません。レストランのウエイターや、レジの人にもお金を払っているのだからサービスを受けるのは当然だという態度でなく、「ありがとう」と丁寧に言いましょう。

ファーストフード店や、コンビニエンスストアのアルバイト店員でもマニュアルで教育され、接客のときには「いらっしゃいませ」「ありがとうございます」と元気に叫ぶのに引き換え、客は無愛想すぎます。日本人は日常生活では「ありがとうございます」という言葉をあまり使わないのは残念なことです。

「ありがとうございます」のかわりに「恐れ入ります」「すみません」という言葉を感謝

を表す意味で使う人もいますが、私の好みでは「ありがとうございます」のほうが自然な気がします。受け答えのときに「おかげさまです」という言葉も私はとても好きですが、やや古めかしい感じがするかもしれません。

もっとも「恐れ入りますが」とか「失礼ですが」という言葉は、何か伝える文章の冒頭に置くと、当たりがとても柔らかくなります。たとえば「恐れ入りますが、○○をお持ちください」「恐れ入りますが、○○していただけませんか」「失礼ですが、○○ではないでしょうか」と言えば、物事を頼んだり、間違いを指摘するときにも相手の気持ちを傷つけません。

見知らぬ人に呼びかけるときも、時代劇のように「そこのお女中……」というわけにもいかないですから、「失礼ですが」「恐れ入りますが」とつけると話しかけやすくなります。ちょっとした「便利な言葉」を上手に使い、礼儀正しく振舞いましょう。

「ありがとう」とか「引き受けました」という言葉は相手にとって気持のいい言葉で自分も幸せになりますが、「だめです」「いやです」「できません」という言葉は本人もつらく言いにくい言葉です。明確に「ノー」といわないで断る意志を伝える技術も、社会生活やビジネスの場で発達しています。女性も仕事の上でそうした間接的な拒否の表現を身につける必要があります。

しかし、女性は時にはきっぱり拒否する言葉をいわなければなりません。いまだに「女性は恥ずかしがりやだから、好きでもいやだというのだ」と誤解して、強引にせまってくる人もいます。甘い態度でレイプの被害者になることもあります。

また断わる時は結論だけ伝えるのではなく、どうしてそう言わねばならないのか、丁寧に理由や背景を説明しましょう。

大きな声ではっきりと話す

言葉を読み、書き、話すのは人間が生きて社会生活をし、人とコミュニケーションをするために必要不可欠の能力です。読み書き能力は学校で身につけますが、話す能力はそれ以前、家庭であるいは幼稚園や保育所で幼児のうちから身につけます。だから誰でも日本語を話せるはずですが、成人後、仕事やプライベートな場で、コミュニケーションをとる能力を十分身につけている人は多くありません。

「私的《わたしてき》には〜」「とゆーか」「感動するじゃないですか」などと言われるのはあまり好きではありません。仲間内で仲間だけで通じる略語や業界語は、仲間に属さない人からはとても聞きにくいものです。若者の仲間内の言葉が、しばしば非難批判の対象になりますが、主婦同士でも、公務員同士でも、教員同士でも、仲間には仲間独特の略語や業界語や言い回しがあり、グループ外の人には感じが悪い日本語です。それでも仲間内はそれで仲間意識を確かめ合っているのかもしれませんし、通じるからいいでしょう。

問題は仲間以外の人にきちんとコミュニケーションできるかどうかです。知らない人がいるなかで、正しい日本語で、はっきりと大きな声で話せるでしょうか。折り目正しく話すべき場では、折り目正しく話しましょう。公的な場や人前で話す機会には、何を言うのか前もって整理しておくことが必要です。順序と要点をメモしておきましょう。

人前で話すときに緊張するのは端から見ていてほほえましいときもありますが、あまり品格は感じられません。国会答弁や、記者会見などでは誰でもある程度緊張しますが、あそうした公的な場で大会社の社長さんが上がって硬くなって話すのはあまり感心しません。誰でもキチンと正式の場で話す訓練が必要です。専門のボイストレーニングでは腹式呼吸、口を大きく開いて母音を叫ぶところから始めます。

最近のアナウンサーやタレントはとても早口ですが、素人の私たちが早口で話すと、言っていることが相手に伝わらないことがあります。私たちはまずはっきり、ゆっくり相手に伝わっているかどうか反応を確かめながら話しましょう。会話は相手に伝わらなければ話す意味がありません。

乱暴な言葉を使わない

男女平等を履き違えて、女性も丁寧な言葉や敬語や女性らしい言葉を使わなくてもいいと誤解している人がいます。「なにしてるんだよ」「ばっかやろー」「くそっばばあ」などと乱暴な口を利いたり、口汚いののしり言葉を言う女性もいて驚かされます。女性が職場や社会に進出し、強くなったから言葉遣いが乱暴になったと批判する人もいますが、職場ではむしろきちんとした言葉が話されているようです。

問題はプライベートな場です。「こうした言葉は男性に許されるのに女性に許されないのはなぜか」と聞かれることがあります。そのとき私はいつも、「乱暴な言葉や汚い言葉は男女に関わりなく使うべきでない、男性でも女性でも立派な人は、常に丁寧な言葉を話すように努めている」と答えています。

もちろん男性のなかには乱暴な言葉を使い、それを男らしいと誤解している人もいますが、それは暴力を振るうのが男らしいと思い込んでいるのと同じように間違いです。そんな「男らしさ」は早く是正してもらわねばなりません。「てめーぶっ殺されたいのか」「ババァうっせーんだよ」など威圧的な「男言葉」は弱い人にだけ向けられていて、強い立場の人に対してはめったに使われません。若い女性や働く女性のなかには、男性のように振舞うのがかっこいいことだと勘違いして、一時代前の間違った男らしさの真似をしている人がいますが、本当に浅はかだと思います。真似すべきは立派な男性の長所であって、ダメな男性の悪いところではありません。言葉もまったく同じで、男性が使っていようがいまいが、口汚い、人を傷つける乱暴な言葉は使わないように努めるべきです。

女性らしいとみられる言葉にも、聞き苦しい言葉はたくさんあります。「あらあら、おえらくなっていらっしゃいますのね。ちっとも存じませんでほんとに失礼いたしましたが、お怒りにならないでくださいましね云々」といった、いかにもねちねちした言葉は、回りくどく仕事の場では非効率で不愉快になります。「チョーかわいい」「マジー？　うっそ〜」「いゃ〜ん」なんて言葉も若い女性はよく使いますが、いかにも子どもぶっているようで、感じの悪い言葉です。同様に「私は〜、何々してぇ〜」と語尾を長く引っ張る話し方も、女の子らしくてかわいいと思う人がいるかもしれませんが、甘えて見せているようで聞き苦しい言葉です。「私的《わたしてき》には（山田的《ヤマダテキ》にはと自分の姓を言う人もいます）〇〇です」「〇〇じゃないですか」という流行の言い回しも、本人は気が利いている言い方だと思っているかもしれませんが、品がないだけです。

残念なことに、こうした言葉は一人の時には使わなくても仲間が三、四人集まっていると、平気で使われます。周囲にお構いなく大声で話す、大声で笑う、キャーキャー騒ぐというのは品の悪い言葉以前の問題ですし、女らしくもありません。グループのなかで折り目正しく話していると気取っているとかかっこつけていると思われないかと、内輪の目を気にして他人を無視するのでは、中学生高校生と同じです。

自分の仲間内で通用する言葉しか使えないのは恥ずかしいことです。日本人である以上は仲間以外の日本人にきちんと通用する日本語を話せることが、品格ある女性にとって不可欠です。また大人の女性としては、自分たちの集団だけでなく周りの人たちにも気配りするゆとりをもちたいものです。お店で、電車のなかで、エレベーターのなかで、道路や駅で、不特定多数の人が周りにいるところでは傍若無人、文字どおり傍らに人なきがごとき会話はやめましょう。傍らの人は自分の知人でなくても意識して、聞かれて恥ずかしくないように話してほしいものです。

第三章 品格ある装い

流行に飛びつかない

品格ある装いとはどんなものでしょうか。

日本では新しいものがかっこいいと思われがちです。有名人やセレブといわれるような人のイメージは、流行のファッションで身を固めているものです。シーズンはじめの新しいデザインの服は、たしかに新鮮でかっこよく素敵に見えます。しかし最新流行のなかには奇抜で極端にいえば、実験作に近いものもあります。そうした流行は時間の流れのなかで取捨選択されて消えていきます。生き残ったものが定番品です。

だからタレントやモデルでない普通の生活をしている女性は、最新流行の服を着る必要はありません。極端にいえば、品質がよくて、清潔で似合っていればどんな服でもいいのです。でも不思議なことに昔大流行した服はいくら好きで似合っていても、素敵には見えません。流行の品は一、二年もすると、すっかり古ぼけてまさに流行遅れに見えてしまいます。流行の服ばかり買っていると、すぐ着られる服は少なくなり、ストックが増えません。古くても違和感を与えないのは定番といわれるようなスタンダードなものです。

流行のものは高価ですから、それがすぐに流行遅れになって着られなくなってしまうのは残念なことです。定番のものは少し高くても品質がしっかりしていて五年は着られます。逆に五年間着られない服は定番とはいえないでしょう。私は物もちがよく十年以上着ている服がいくつもありますが、それは流行の先端を行った服を買わないからです。

でも、いつもいつも定番の品ばかりではあまり楽しくありません。またいかにも世の中の流れを無視して自分のスタイルに固執する偏屈な人のように見えます。流行の装いを身につけると、周囲に目新しく新鮮な驚きを与え、ちょっと自分の心も弾ませてくれます。文化勲章を受章したデザイナーの森英恵さんの言葉でとても印象深く覚えているのは、「自然は日々変わり人を飽きさせない。でも人間の作ったものは日々古くなるからファッションで新しさを作り出していかねばならない」という流行に対するお考えです。定番といっても十年以上着ているとさすがにくたびれてきますし、自分のスタイルも微妙に変わってきますから、ある時期がきたら思い切らなければなりません。

服装への流行は少し取り入れ、日々新たに生きている自分を実感しながら、適度なところで踏みとどまるのが大事です。スーツやコートのような値段も張り、スタンダードが確立しているものは、最低五年は着るつもりで定番のあまり流行に左右されないものにし、ブラウスや靴、アクセサリーやスカーフやバッグなどの小物には流行を取り入れたほうがよいと私は思います。これとは別の服装哲学もあります。流行の服でもとても似合うものに出会えたら早めに買って、そのシーズンにどんどん自分でも飽きるほど着て、手放すというやり方の人もいます。それぞれの好みですし適度に自分で選んでいけばいいですが、一般的には流行に飛びつかないほうが品格のある装いができます。

もちろんグッチ、シャネル、エルメスなどというブランド物は、品質がよいので安心できますけれども、そのぶん高価ですし、特に自分に似合うという自信があるか好きでないかぎり、せっせと買う必要はないと思います。

インナーは上質で新しいものを

私の友人で、ときどきおしゃれなブラウスやTシャツをプレゼントしてくださる人がいます。つい変わり映えのしないインナーを着続けている私にはうれしいプレゼントです。インナーがバラエティに富んでいるといろいろな着こなしができます。自分でも心がけて、おしゃれで流行も取り入れたインナーは、気に入ったものを見かけたら衝動買いをすることにしています。価格が高いといってもありますから、衝動買いをしても後悔することはあまりありません。

ショーツ、スリップなどの下着も同様です。たまたまよいものが目に触れたときがお買いどきです。

外に見えるものは、自分の好みやセンスが出ますから誰でも気をつけていいもの、似合うものを選ぼうとします。でもとかくインナーや下着は後回しになってしまいます。

江戸時代の町人たちは、表着は規制があって自由におしゃれが楽しめなかったので、襦袢《じゅばん》や羽織の裏に粋を凝らして贅沢をしたそうです。本当に品格あるおしゃれは人目につかないインナーや下着をおろそかにしないことです。

ついでに言えば、スカートやパンツも重要です。体形に合った好みのスカートやパンツがあると安心して着まわせます。どんな上着とも合わせやすいシンプルで品質や縫製のしっかりした無地のボトムでいいものは、オーダーかセミオーダーでも作って贅沢をする価値があります。

たとえばいろいろなトップと組み合わせて、一年間に三十回は着る紺のスカートと、年に一回着るか着ないか分からないパーティー用の服は、どちらが使用価値があるかといえばスカートのほうです。スカートは少し高くても、できるだけ体型にあったいいデザインのしっかりした上質のものを買うべきでしょうが、パーティー用のワンピースはパッと華やかで、似合ってさえいればよいので、それほど品質にはこだわらなくていいでしょう。場合によってはレンタルでもかまいません。流行をとりいれた服は質がよくて長く着られそうでも、デザインは必ず古くなって十年二十年と着ることはできません。所有していても場所をとるだけです。

靴も重要です。若いうちは高いヒール、細いつま先の靴も履きこなせますが、だんだん歩きやすく、足をいたわる靴が好きになってきます。自分の足にあわせた木型を作って足にフィットした靴をオーダーするのもおしゃれです。そうはいってもいつもいつも同じ型のローヒールのスタンダード型ばかりでは飽きがきますので、時に流行も取り入れて気分を変えましょう。しかしミュールのようなかかとが安定しない靴は私的な場でしか履けないとわきまえて使いわけしましょう。音がする、ズルズルひきずる靴はプライベートな場でしか履けないので要注意です。

アクセサリーも使いようによって上品にも下品にもなります。本当の宝石は高価で小さいものしか買えないことが多いのですが、ファッション性の高いデザインものなら石が小さくてもあまり貧相にはなりません。本物に似せた偽物より、いっそプラスチックやガラスでも個性的でおしゃれなデザインのものは存在感があって楽しめます。イヤリングと合わせたり、服の色と合わせたりして、宝石そのものをアピールするのでなく、ファッションの一部として使いこなしましょう。服や、ＴＰＯに合わせてアクセサリーを変えると、同じ服でも性質の違う会合に出ても場違いになりません。そのためバッグのなかに二、三種類のアクセサリーを入れておくと便利です。

私も若い頃は人間中身が大事、服装なんて包み紙で重要ではないと思っていました。でも現実は包み紙で中身を判断されることが多く、またどういう包み紙を選ぶかも本人のセンス、才能の一つです。品格のある装いをしたいものです。

勝負服をもつ

一つ一つのパーツは高価で気が利いているのだけれど、今ひとつ垢抜けない服装の場合、色の統一が取れていないのも原因の一つです。昔読んだフランソワーズ・モレシャンさんの『失敗しないおしゃれ』という本で教えられた原則の一つは、自分の基礎カラーをもつということです。このアドバイスは本当に役に立ちました。黒、紺、グレー、ベージュのような色を自分の基礎カラーとし、それを中心に服も、バッグも靴も合わせると全体の統一が取れて失敗しない。いろいろな小物を買うときも、自分の基礎カラーに合うかどうかを基準にして選ぶようにする。私は太目の体形なので、少しでも締まって見えるように紺と黒を基礎カラーにしていましたが、基礎カラーを決めると組み合わせがとても楽になります。ベージュ、グレーもなんにでも合わせやすい色ですから、それぞれの好みで選びます。

もう一つ心がけたのは、あまりデザインや模様が個性的でないものをメインにすることです。無地のほうが、いろいろなアクセサリーやスカーフとも合わせやすいのです。

基礎カラーのものは、できるだけ質のいいもの、当時の私には高価だったカシミアのセーターや絹のブラウスも、基礎カラーで出番が多いのだからと奮発しました。一年に一回着るかどうか分からないスーツに高価なものを買うより、一年に二十回も三十回も着る基礎カラーのセーターやスカートのほうがずっと大事です。

それと大事なのは勝負服をもつことです。勝負服といえば川口順子元外務大臣の赤のスーツが有名になりましたが、この服は絶対似合う、これを着ていると自信をもってどんな席にも出られるという服です。そういう服に出会えるのは、いざ張り切って買いましょうと出かけたときより、たまたま（マネキンの着ていた）服が素敵に見えたとか、時間が余って立ち寄った先で見つけたということが多く、友だちと同じで服との出会いも「縁」かなと思います。いい縁に恵まれたら、それを生かすようにつねづね心がけておきましょう。

ただどうしてもそういう服は出番が多くなりますので、同じ人と別の機会に会ったときに、また同じものを着ていると思われたり、写真でいつも同じ服になったりという失敗もします。前に何を着ていたかまで記録しておくといいのでしょうが、そこまで管理できない私の失敗です。勝負服も一着あると安心してしまうのですが、三着ぐらいあると安心です。本来は手持ちの服はみな勝負服であるべきなのですが、現実は理想どおりにはいきません。

秘すれば花

「秘すれば花、秘せざれば花なるべからず」(『風姿花伝』)というのは能楽を大成した世阿彌の言葉とされています。能にかぎらず、パフォーマンス・アート全般に通じることですが、なにもかもとことん見せてしまうのではなく、全部を表現しきらないところに「なんだろう」と観客の興味や好奇心はひきつけられるということのようです。

同様に装いも露出しすぎるより少し隠すほうが品格があるだけでなく、魅力的です。たとえばホットパンツやマイクロミニスカートは健康的ですが、スリットの入ったロングスカートからこぼれるふくらはぎのほうがドキッとさせます。もっともお色気がありすぎて下品になりやすいので注意しなければなりません。

へそ出しルック、透けて見えるようなシースルールックなど、女性の肉体の美しさをあからさまに公衆の面前で出すのも、あまりおすすめできません。不特定多数の品格の低い人が多い盛り場や、公共交通のなかで自分の魅力を見せびらかすより、自分の大事な人にとっておきましょう。露出するとあっけらかんと健康路線になって、魅力がなくなるということも覚えておきましょう。「秘すれば花」というのはもっと精神的なものですが、服装の面でも通用する原則です。四十歳になり、五十歳になっても女らしく、上品で魅力的であるためには、何もかも開けっぴろげにするのでなく、少し隠したほうが魅力的なのです。

同じことが人生のあらゆる場でも当てはまります。公的な場で自分のことを洗いざらい告白するのはやめましょう。私は長い間公務員でしたので、入省年次も経歴も知られているから年齢も学歴も隠す必要はないと思って、いつも公言していました。ところが同じ入省年次でも、浪人した人もいれば留年した人も途中入省の人もいます。自分から言わないと年齢すらよく分からない人が増えています。家族構成もそうです。こうした個人情報はプライベートな友人にはもちろん隠す必要はありませんが、単なる仕事上の付き合いの人に言ってまわる必要はありません。必要な人に必要なときに必要なことを言えばよいのです。

自分の失敗や苦労も、特に言ってまわることはありません。自分のなかで消化できて、それなりに客観的に見えるようになって、ユーモア交じりのエピソードとして言えるならいいのですが、まだ怒り、悔しさ、情けなさ、恨みなどが残っている状態で告白するのはやめましょう。どうしても自分で悩みをもちきれなくて誰かに聞いてほしいときは、友人や、身内に言うよりむしろ電話相談か、身の上相談に匿名で相談してみましょう。友人にだって、身内にだって自分の弱い部分、醜い部分はあまり見せないほうがよいのです。ましてや自分自身で消化しきれていないときは、他人には言ってはいけません。言ってもよいのですが、何もかもは言わず、どろどろした部分は自分の心にふたをして、時間がたち傷が癒えるのを待ちましょう。

不完全で、欠点の多い自分をありのままに告白して、あるがままに認めてもらおうと

いうのは、とても不遜極まりない態度です。できるだけそうした自分を見せないで少しでもいいところを見せるように努力することが、人間の品性を高めるのです。おそらくどんな立派な人でも地位のある人でも成功した人でも、一皮剝くと、弱い部分、情けない部分、どろどろした部分があるでしょう。そうした弱点があるのは人間だから、当然だと居直るのではなく、いかにして表に出さないように努力するかが重要なのです。

逆にそういう努力はしんどい、めんどくさい、私にはできないと諦めてしまうと、品格のない人間になってしまいます。日本の若者たちが、最近行儀が悪い、マナーが悪いと批判されるのは、多くの若者がそうした「少しでもよくなりたい」という夢を捨て、「私は（ボクは）これでいいんだ」と人生を降りてしまっているからです。経済的格差より、自己評価格差のほうがずっと問題だと思います。

日本はいつのまにか、努力する人を、あいつは本当はこんな悪いことをしている、こんなひどい人間だと暴露して引きずり下ろそうという、意地悪で品性のいやしい社会になってしまいました。それでもどうぞ周りの悪意に負けることなく、おしゃれをするときのように、少しでも自分のよさを引き出し欠点を目立たせなくするように努力しましょう。

姿勢を正しく保つ

どんなに素敵なファッションを身につけていても、肩を落とし、胸をすぼめ、膝を曲げたり足を引きずって歩いていては全然かっこよくありません。背が高くて本当はスタイルのよい人でもそれを恥じるような猫背気味の人に比べ、背は低くても胸を張り、頭をきっと上げ、さっさっと歩いている人のほうがずっと素敵です。人間の姿勢はその人の全体の印象を大きく左右します。

よくパリの女性はおしゃれといいますが、個人個人の女性の顔の美醜より、ファッションや髪型より、一番印象的なのは彼女たちの町を歩く姿勢です。東京の女性たちのほうがずっと顔の手入れは行き届き、新しくて高価な流行の服装を身につけています。でもパリの女性たちが首筋をすっと伸ばし、胸を張って颯爽と歩いている姿のほうがずっとかっこよく素敵に見えます。彼女たちは幼いときから姿勢については家庭で厳しくしつけられているそうです。お化粧をするときに鏡を覗き込むように、普段どんな姿勢を

しているかチェックする全身が映る鏡がいろいろなところにありますし、ショーウィンドウに映る自分の姿でもチェックするそうです。

また日本でも正座する機会は少なくなりましたが、イス式の生活では腰をかけるときは浅く腰かけ、膝をつけて両足をそろえなければなりません。どんなに素敵なメーキャップや服装をし、気のきいた話をしていても膝をひらいていると台なしです。足を組んで綺麗にみえるように振舞うのはとても難しいのです。腰かけるときは上半身を安定できるように腰骨を立てるように心がけるといいかたちになります。愛知県の半田市に行ったとき町をあげて「りつよう運動」をしていますとのことでした。聞いて耳慣れない言葉だと思いましたが、立腰《りつよう》運動だそうです。市長さんはじめ町の方たちによると、腰を立てるように心がけると姿勢がよくなり、また腹式呼吸になって健康にもよいそうです。

日本でも女性たちが和服で帯を締めていたときは背筋が立っていました。洋服でももっとよい姿勢を心がけたほうが、見た目もよく、健康にもよく、品格も上がって見えます。腰を立てるように心がけるというのもいいヒントですが、もうひとつ、肩甲骨を背

中で狭めるようにすると胸が開きます。上から糸で吊り下げられている気持ちで頭を上げるようにというアドバイスもよくされます。

人間の内面の品格を判断するのは難しいことです。だから、人はしばしば外見で品格を判断します。その際は服装だけでなく、態度物腰が大きく影響します。外見が堂々と自信に満ちているように見えるか、おどおどと落ち着きなく、崩れて見えるかで印象は大きく変わります。また外見を整えることで内面も影響を受けます。どんなに憂鬱なことや気が重いことがあっても、姿勢を堂々とし、態度を明るくし、元気よくしようと心がけているうちに気分も変わります。

さあ首すじをのばし、胸を張り肩甲骨を寄せましょう。気分も明るくなります。

贅肉をつけない

「肥満の人は自己管理能力がないから管理職失格」とアメリカのビジネス社会では評価されます。たしかにアメリカではジャンクフードや甘いデザートを食べすぎて気の毒なくらい肥満している人がいますが、大きな会社の経営者や管理職、有名大学の教授たちに肥満体はあまり見かけません。昭和女子大学の肥満学の権威、木村修一教授によれば、日本人はアメリカ人と遺伝的体質が違うので、アメリカ人のように太る前に糖尿病になってしまうそうですが、それでも肥満に悩む人は増えています。私もごたぶんにもれず食べるのが大好きな小太り人間なので、肥満者の悲哀を感じることが多々あります。

肥満は健康に悪い、生活習慣病のほとんどは肥満からといわれるだけでなく、肥満者は社会生活のなかで何かと不利に扱われます。アメリカほどではありませんが、日本でも肥満者に対しては鈍感、気がきかない、おしゃれでない、ずうずうしいなどのネガティブな印象をもちやすいようです（人がよい、寛容である、おおらか、温かいと言ってくださる人もいますが）。侘《わ》びやさびという精神的な美を解するとか、上品というイメージも、すっきり痩せた人にふさわしいと考えられがちです。スリムなほうが、テレビ映り、写真映りがよく、ファッションも似合います。

もっとも若いうちは少し小太りでも十分かわいいのです。特に十代や二十代の若い日本女性はスリム願望が強すぎるようです。栄養失調気味の貧弱な体格の女性が多いほうが問題です。若いときに栄養失調ぎみだと、将来メタボリック症候群になりやすいそうです。骨《こつ》粗鬆《そしょう》症《しょう》にもなりやすいそうです。がりがりの若い女性がかっこいいというのは、現代の誤った美意識の一つです。それはさておき大人の女性になったら贅肉をつけないように日常生活で気をつけなければなりません。

無理なダイエットをする必要はありません。無理なダイエットは失敗する確率が高く、一時的に減量できても、すぐにリバウンドして結果的に太りやすい体質になってしまいます。それより栄養のバランスの取れた質の高い料理を腹八分目に食べていくという王道がダイエットの基本です。それに加えて適当な運動をすること。「一日三十分以上うっすら汗をかく運動」と言われると、とてもそんな時間は取れそうもないと思ってしまいますが、日常生活のなかに運動を取り入れることです。たとえばある女性社長は十四階のオフィスまで二百八十八段の階段を歩いて上るようにしているそうです。

いずれにしても贅肉をつけない暮らしというのは、食欲という強い欲望に振り回されず、自分を甘やかさず、運動を継続できるといった強い精神をもった生活です。そうした自己節制を心がける生活態度には品格があります。

一生懸命自己節制を心がけていても太ってしまう人と、それほど努力しなくても痩せている人がいますが、それは体質の差です。「努力して報われないこともあるのだ」という事実を、個性の差として受け入れることも、人生を達観するうえで必要かもしれません。それでもベストを尽くしましょう。

髪の手入れ、お化粧の基本

「女性は美しくないと軽んじられる」と旧前田侯爵家に生まれた酒井美意子さんが母上の教えとしてお書きになっていました。それを読んだ頃の私は「外見より中身が重要」と信じていたので、ショックを受けた記憶があります。私は美人ではないから、中味を磨くのだと思っていたからです。美しく身じまいするのは、女性の武装という意味のことも書いておられました。何度も言うとおり人間は外見で判断されています。女性は美しければ周囲から好感をもたれるだけでなく、大事にされ、注目もされるので、堂々として行動し、品格も備わってくるのです。しかし人生をふりかえってみると、女性も軽んじられないためには絶世の美女である必要はなく、誰にでも好感をもたれているという程度の自信をもつだけでいいのです。

別の例で言えば、今はスチュワーデスと言わず、フライトアテンダントと言うようですが、この職業にあこがれる若い女性はたくさんいます。彼女たちはサービス業のプロとして、言葉遣い、お茶や食事のサービスの仕方、苦情への受け答えと並んで、お化粧や髪型まで厳しい訓練を受けます。その結果、一人一人はそれほど美人ではなくても（ゴメンナサイ）、若い女性たちからあこがれられる職業人として磨かれていくのです。

注意して観察すると分かりますが、彼女たちの髪型はセミロングかショート。長い髪はひっつめにしてまとめてあります。長い髪は女性的で魅力的ですが、職場ではふさわしくないと考えられているのです。今は濃い色で染めている人はいるようですが、あかるい茶色やブロンドなどは見かけません。髪形は自分で思う以上にその人の印象に大きく影響しますので、その職業、その場にふさわしいものにしなければならないということです。

どのおしゃれでも清潔な髪や肌が基本の基本です。それも過ぎたるは及ばざるが如しで、日本人が清潔を重視して洗いすぎるので、常在菌をなくし肌荒れや薄毛をもたらしているそうですから注意しましょう。

肌の手入れやメーキャップについても同様です。日本の化粧品やトイレタリーの水準は世界でも一番高いそうです（余談ですが、外国へのお土産で一番喜ばれるものの一つが、日本のシャンプー、それも家庭でよく使う大型のポンプ式のものです）。肌の手入れの基本は清潔にして保湿を心がけるのが基本です。品格ある女性のお化粧は、よく手入れされた肌に薄化粧というのが定番です。ただ昔はアイメーキャップや艶出し口紅は下品と思われていたのが、最近は次第にアイメーキャップは身だしなみの一つとなってきたように、時代によって受け入れられる基準は変わっていきます。

ニューヨークで女性エグゼクティブの会議と、NGOの女性の集まりに続けて出席した際には、その両グループの服装、お化粧の差がはっきりわかりました。女性エグゼクティブは仕立てのよいスーツ、パンプス、ショートのパーマ。NGOの人たちは、長髪でエスニック風の木綿の服やスニーカーでした。職場や生き方により服装にも大きな差があります。

一九八〇年頃は『ドレス・フォア・サクセス』という本がベストセラーになり、女性エグゼクティブはテーラードスーツに絹のブラウス、パールのネックレスとイヤリングが定番といわれました。今はもう少し自由ですが、やはり職業にふさわしい服装はあります。普段はあまり時間をかけず、薄化粧で過ごしていて、パーティーでは変身するというように、ここでもTPOをわきまえる知性が必要です。

また批判されることの多い電車のなかのお化粧はやめましょう。会う前に化粧室で化粧直しができるくらいの時間の余裕をもって行動したいものです。どうしても口紅をぬりなおすようなときは、ひっそりこっそり直しましょう。

第四章 品格のある暮らし

よい客になる

「お客様は神様です」というのは、プロのエンターテイナーだった歌手・三波春夫さんの言葉です。消費者は王様という言葉もあります。こうした言葉から、客はお金を払うのだから何を言っても何を要求してもよいのだと誤解している人もいます。顧客満足（カスタマー・サティスファクション）という言葉が示すように、たしかにお客の要求に十二分に応えてお客を満足させるのがプロだという考え方もあります。しかしそれは供給側の心がまえで、客はそれに甘えてはいけません。客も好まれる客として振舞うように努力すれば大事にされますし、品格も上がります（余談になりますが、日本人の品格がなくなったのは、お金さえ払えば何をしてもいいという考え方が広がったからではないかと思います。いくら金払いのいい客でも、パリのブランド・ショップなどでバカにされるような振舞いはしないようにしましょう。むかしは、たとえ自分がお金を払っても、売り手に対する敬意があったように思います）。

たとえばレストランに行くなら予約を入れ、その時間や人数を守る。変更するときは早めに連絡する。ネクタイ、上着着用のこととか、水着はダメというようなドレスコードがあったらそれを守る。それは店の格を保つために必要ですし、他の客の気分を壊さないためにも必要ですからそのルールに従いましょう。おしゃれで素敵な人がいるお店は魅力的ですから自分もその一員となるようにします。またタバコは決められた場所で吸うといったルールを守り、その上で「美味しかった」「ありがとう」と礼を言う。美味しくなかったら、塩がきつすぎた、冷えていたと具体的に伝えましょう。周りの人の雰囲気を壊さないように、あまり大声で話をしないのも重要なことです。お店の人に一番感謝されるのは、知人や友人など新しいお客となる人を連れていくことです。

デパートや専門店で買い物をするときも、お店の人が何かお探しですかと寄ってきたら、「ただ見ているだけです」とか「○○のものはありますか」と言いましょう。試着してみてもいいですが（あまり数多くを試着しないで三枚以内にとどめましょう）、気に入らなかったら買う必要はありません。はっきり断りましょう。断るのに遠慮する必要はないのですが、友だち同士で来て「ここはだめね」とか「何々のほうがよいわよ」とお店の悪口を言うのはやめましょう。気に入らなければ来なければいいのです。

バーゲンなどで山盛りになっている商品のなかから、いいものはないかと掘り出し物をあさるのは、あまり品のいい姿ではありません。またバーゲンでない場合きちんとたたんでおいてある品を手当たり次第にひっくり返すのはやめましょう。自分のものでない、これから売ろうという商品は丁寧に扱うべきです。

また苦情を言うときは、責任者に言いましょう。権限のない人に文句を言っても始まりません。権限も責任もない人は、そのお店での立場が弱く苦情を処理する力がないのです。そういう人に文句を言うのは弱い者いじめです。

苦情を言うときは、いいお店になってもらうためのアドバイスという気持ちで言いましょう。いずれにしても、「お客」は大事にされ甘やかされますが、それに甘えないで自制する、相手の立場を思いやる「お客」がよい客です。

よい客になると、お店で歓迎されるようになります。そういう行きつけの店をもつようにしましょう。

行きつけのお店をもつ

最近はインターネットや情報誌で次々と新しいお店の情報が提供され、いろいろな割引特権がついているので目移りして、新しいお店を次々と開拓したい誘惑に駆られます。たしかにお店は生き物で、どんどん新陳代謝していきますから、新しい店についてのアンテナを立てておくのはいいことです。でも、いつも新しい店の「一見《いちげん》の客」になるばかりでなく、自分のお気に入りの店、行きつけの店を探しましょう。

はじめて行って気に入ったレストランは、カードか紹介パンフレットをもらっておきましょう。次に予約するときは、「この前○○に行ったときによかったからまた」と伝えると相手は喜んでくれます。デパートなど一つはお気に入りを決めて、カード会員になり友の会の会員などになっておくと、魅力的な特典もあり、ポイントが貯まったりしてお得です（でもそれを当てにしていくつものデパートの会員になるのはやめましょう）。お返しやお祝いはそのデパートと決めておくと、注文するときも楽で迷いません。デパートをぶらぶら適当な品を探し回る時間がないとき、どこに行けば何があると頭に入っているととても楽です。共働きで時間がない人は行きつけのスーパーがあると時間が節約できます。得意客には宅配してくれる店も便利です。

歯医者さんや、お医者さんは行きつけの医院が必要なのは言うまでもありません。過去の治療歴、既往症、体質を知っているお医者さんはありがたい存在です。

美容院も行きつけのお店を決めておくと自分の髪質や好みをのみこんでいてくれるので安心して任せられます。私の好みからいえば、大きなお店で美容師さんが二十人、三十人といるお店より、せいぜい数人の、オーナーの目の届くこじんまりしたお店がいいようです。オーナーと気が合えば気持ちよく過ごせます。ただお気に入りの店もだんだん水準が落ちてきたり、自分を大事にしてくれないと思ったときは、三回に一回、二回に一回は別の店へ行って、新しいお気に入りを探しましょう。

洋品店なども自分の体形や好みの合う品を多くそろえている店を見つけておきましょう。大金持ちのいわゆるセレブのように行きつけのデザイナーやお抱えのスタイリストは頼めなくても、行きつけのお店があり、自分の好みを心得たアドバイスをしてくれる

顔見知りのオーナーや店員がいると、品格のある装い、品格のある買い物ができます。とりわけ高価なものを買う上得意ではなくとも、顔見知りの行きつけのお店では、きっと大事にしてもらえるはずです。いわば、マイセレブとして待遇してもらえるお店をもつということです。

和菓子屋さん、ケーキ屋さん、お魚屋さん、八百屋さんなどは近所からどんどん姿を消しています。スーパーや安売り店より少し値段は高いかもしれませんが、そうした頑張っている個人商店をできるだけひいきにしてあげましょう。全国ブランドの大量生産のお菓子を手土産にするより、そうした近所のお店を利用する。切り身でパックしたものを買うだけでなく、お魚屋さんや八百屋さんで料理の仕方を教わりながら、季節感を味わいながら買い物をすると心が豊かになります。

買い物は匿名のほうが気楽と考える人がいますが、それでは行儀が悪くなりがちです。自分が何者か知られた場所で買い物をしているといい客になろうとします。いい店でいい客として行動していると客としての品格が出ます。

値段でモノを買わない

モノを大事にしながらすっきり暮らすには、買う量を減らすことです。

「品質がいいのに随分お買い得だわ」というように、シーズン末期のバーゲンセールでは、シーズンはじめの定価の半額以下で売られるものが少なくありません。はじめの値段より大幅に値引きされていると、何か得した気分になって、少し気に入らないところがあっても妥協して買ってしまいがちです。こうした「わあ、安い」と思って買ったものが、本当に好きで気に入って買うのならば、まさしくお買い得ですが、品質のわりに値段が安くても、あまり気に入らないものだと着ないことになりがちです。賢く買ったつもりで、かえって浪費したことになります。値段で買ってもいいのは品質がよい消耗品だけ、そうでないものは厳しくチェックして本当に好きか必要か、吟味してから買いましょう。

それでは値段の高いものはすべていいものでしょうか。前にも言ったように、流行のものは高くてもそれほど質がよくないことがあります。日本の女性はルイ・ヴィトンなどの高価なブランド品のお得意さんとして有名ですが、あまりにも多くの人が持っていますし、自分のセンスに自信がなくてブランド物に頼っているようで、本当におしゃれな人や品格のある人は持ちません。自分の生活や必要に合わないモノは、どんなに質がよくて価値があってももてあまします。私も十年以上前、西安に旅行したとき、「これは今ではあまり作る人も少なくなった貴重なもので両陛下もお買い上げになりました」と勧められて、貴石を細工した漆塗りの屏風を買いました。たしかに今でもとても立派ですが、わが豪邸（?）に置くには大きすぎ、立派すぎてややもてあましています。どんないいものでも即断即決で買う必要はありません。考えているうちにタイミングを失って買えなくても、そのものは自分とは縁がなかったと諦めましょう。

危険なのは旅行に出たときです。ついせっかく来たのだから記念に何か買いましょうという気分になりやすく、不要なもの、日常生活では使わないものを買ってしまいがちです。また途上国では円が強くて通貨レートのおかげもあって何でも安く買えるので、ついい買い込んでしまいがちです。そうした品々は買うこと自体を楽しんだのだからと割り切って、お土産として喜んで受け取ってくださる人にあげましょう。また買い物をするときに、安ければいいというのではなく、フェアトレードといわれるような現地の人の自立を助けるような活動をしている団体の製品を買うとか、意義のあるお金の使い方をするのも楽しいことです。

途上国製品だけでなく、日本製でも環境問題に取り組んでいる企業の製品を買うとか、女性の雇用や次世代育成に努力している企業のサービスを愛用するとか、買い物によって自分の意思を表現することができます。少し値段が高くても企業の姿勢を応援する消費者が多くなれば企業も変わるでしょう。逆に悪いことをしている企業のものやサービスを買わないことで、その企業を退場させることもできます。買い物は消費者の投票行動といわれます。お店だけでなく企業にもひいき企業を作りましょう。「安ければ少しくらい悪いことをしていても売れるさ」という企業を市場から退場させることができるのは、かしこい消費者です。値段だけにとらわれない買い物をする品格のある消費者になりましょう。

浪費とケチの間で

別荘をもっていても、月に二回以上利用している人は多くありません。別荘をもっていても、仕事をしているとなかなか利用できません。また掃除や家の手入れが好きでない人にとっては、別荘に行っても掃除ばかりしていると嘆くことになります。そういう人は、会員制のリゾートクラブのほうが向いています。家でも洋服でもアクセサリーでも、使うから価値があるので使わないものには価値がありません。お金はいかに使うかでその人の品格があらわれます。五十万円あったら貯金をする人や投資する人もいますが、私だったらブランド物のバッグや洋服を買うより、海外旅行をします。海外旅行で得る経験が自分を豊かにすると思うからです。美容や温泉旅行にお金を惜しまない人もいます。大学院の授業料に使う人もいるでしょう。

インフレの時代を経験している世代、バブルの好景気とその消滅を経験している世代、デフレの時代に育った若い世代では、モノと価格に対する価値観が違います。しかしどういう経験をしてきている人でも、使わないお金や資産をたくさんもっているより、自分を豊かにし、人に喜ばれるお金の使い方をしたほうがお金が生きることはわかると思います。別荘をもっていたら友人を呼び、友人たちに使ってもらってこそもつ甲斐があります。

車もそうです。地方で公共交通機関が少ないところでは、車がないと暮らせません。車で高齢者や障害者の送り迎えをするボランティアも求められています。しかし、東京や大阪のような大都市では公共の交通でほとんどのところに行けます。車は所有せず、家族旅行をしたい、キャンプに行きたいというときは、レンタカーを借りたほうが合理的です。所有する場合も、車はステータスシンボルとばかり高級車に乗るより、環境配慮としてハイブリッド車に乗るほうがかっこいいというように、高価な物をもっているからではなく、どういう生活方針をもっているかがあなたの人間の品格を表現します。いくらいいものをもっていても自分のためだけ、自分の豊かさをみせびらかすためだけでは、いいモノをもっている甲斐がありません。

人間は外見で判断されるという場合の外見は、顔やスタイルだけでなく、態度や物腰、話し方です。他には服装や小物でしょうが、それらは高価なものである必要はありません。質がよくて似合っていればよいのです。むしろ場違いに高価なものをもっていると、成金趣味とか下品だと取られるかもしれません。安物は安っぽく見られますが、きらきらギラギラしたぜいたく品は品格を低めます。浪費もけちも、お金に振り回されているという点では同じです。

お金やモノに振り回されないで自分のスタイルをもつには、利用するのか所有するのかを見分け、合理的に選択し、メリハリを利かせることです。

けちけちしないで投資マインドを

女性は金銭に細かい、割り勘のときも一円の桁まできっちり配分すると男性たちは感心します。それは女性たちが今まで収入が少なくもっぱら「出を制する」習慣が身についているからです。将来のために投資するという機会に恵まれず、必要性を感じないで生きてきた女性が多いからです。男性でも決まった収入しかない人、収入が少ない人は出費には気を遣いますから、男女差というよりおかれた状況が影響するのでしょう。

現代の社会で生きていく上でお金を大事に使い、浪費をしないのはとても重要なたしなみです。収入を上回る支出を続けていくと消費者金融などに手を出し、多重債務者になる危険もあります。お金や資産を軽んじていては、品格ある人生は送れません。

しかし、浪費をしないという前提の上ですが、使わない工夫、ためる工夫をするばかりでなく、お金は上手に使い、投資しましょう。モノやサービスを買う基準をお金だけにしないと前にもいいました。キセルや無賃乗車は犯罪なので言語道断ですが、それによって得られる利益とそれに使うエネルギーを考えても引き合いません。脱税や社会保険料の未払いも同じです。払うべきものを払っているほうが、心の重荷が軽くなります。払わないですむ工夫をする時間とエネルギーを、他の生産的なことに向けたほうが賢いです。

株や投資信託、不動産への投資だけが投資ではありません。子どもをまともな社会人になるようにしっかり育てるのも投資です。自分の人生を豊かにしていくためには、友人や知人も大きな財産です。これからも人生で長く付き合っていきたい人やお世話になった人には友情や感謝を表す、若い人や経済的に余裕のない人にはご馳走してあげるなどのように、将来の人間関係にも投資しましょう。

一番重要な投資は自分への投資です。働いている人は収入の一割は必要経費として職業人としての自分を向上させるために投資しましょう。勉強するにはお金がかかりますが、お金を払うと本気で勉強するので身につきます。無料の講座は意志が強くないと長続きしません。多くの大学や大学院が社会人の入学を歓迎しています。授業料にしり込みする人もいますが、正式の学士号や修士号は投資に値する一生の財産です。茶道、華道、音楽などのいわゆる習い事も本気で身につけるには、授業料だけでなく、発表会や道具などの費用も必要ですからお金がかかりますが、人生を豊かにする投資です。

健康のためにスポーツクラブに入るのもいいことですし、年に一回の人間ドックを自分に義務づける、普段から、自分で効果が納得できるサプリメントや健康法を実行するのもいいでしょう。健康オタクになって凝りすぎるのは困りますが、ゆとりをもって健康維持に心と時間とお金を使いましょう。

お金はある程度は必要ですが、ものすごくたくさんもつ必要はありません。上手に投資して家族と友人と、健康があり、自分自身が社会で役に立つ能力と判断力をもっていれば大金持ちでなくても幸せで品格ある人生を生きていくことができます。

得意料理をもつ

品格のある女性は家事も掃除もしないで贅沢な生活をする女性と誤解してはいけません。成金夫人やお嬢様と品格ある女性は違います。お金の有無に関わりなく、自分で品格のある暮らしをしていける力をもつことが重要なのです。作家の幸田文《あや》さんはきりっとした品格のある女性でしたが、父親の幸田露伴は文さんに対して、掃除などの家事全般を「赤貧洗うがごとき家に嫁に行っても困らないようにしつけた」そうです。

もちろん戦前と今では、女性がこなさなければならない家事はすっかり異なっています。縫いもの繕《つくろ》いものはする必要がなくなりましたし、洗濯も洗濯機がしてくれます。最後に残っている家事は料理と掃除・整理でしょうか。食べものも今はスーパーやコンビニででき合いのお惣菜が手に入ります。東京は世界中の料理が食べられる都として有名です。三度三度家族や自分が食事の用意をしなければ食べていけなかった頃と違って、包丁がなくても暮らしていける時代です。

でも家族と簡単に夕食をすませたいとき、友人と家庭でゆっくりくつろぎたいとき、手間隙かからずありあわせの材料で美味しいものがさっとつくれる女性はかっこいいと思います。またでき合いのものは、保存するためにも味が濃くなりがちです。できるだけ薄味で素材の持ち味を味わうためには自分で作るのが一番です。それに自分で作れば、材料費だけだと最上級品を買ってもそれほどの値段にはなりません。最上級品はあまり手をかけなくても美味しいのもうれしいことです。

お醤油、お味噌、ごま油、鰹節《かつおぶし》などの調味料も良質なものをそろえておきましょう。友人から送ってもらう新鮮なトマトやねぎ、大和芋などは生のまま、蒸すだけ茹《ゆ》でるだけでじわっと素材の味がにじみ出ます。こうした本物の味がわかるというのも、いい暮らしをしているしるしです。ファーストフードのハンバーガー、ファミリーレストランのグラタン、デパ地下のお惣菜だけでは素材のよさを見分ける舌は肥えません。

大量生産と対極にある家庭の味で、子どもや友人からも好評なのはスープです。ニンニクや玉ねぎをよく炒め、ありあわせの野菜をたくさん刻んで煮込んだスープは体にも優しく、重宝します。ビーフシチューやボルシチのような煮込み料理は体も心も温まります。自家製のジャムや漬物、果実酒といった手作り食品が自分でできるといいのですが、スペースの問題などもあり、できる人ばかりではありません。可能ならやってみましょう。

懐石料理、フランス料理というと毎日気楽には行きにくいかもしれませんが、友だちを呼んで美味しいものをご馳走するときに、定番の得意料理があると素敵です。中年男性のそば打ちが流行っていますが、手間ひまかけた食事をみんなで味わえば、楽しさもひとしおです。

お正月のおせち料理、三月の雛祭りの桜餅、五月節句の粽《ちまき》や柏《かしわ》餅、お月見の団子や枝豆、風呂吹き大根やぜんざい、すべて手作りというのは難しいかもしれませんが、料理の一品でも二品でも手作りを加えて、桃の花やあやめ、ススキや菊の花も添えて、季節の移ろいを食べものを通じても楽しみたいものです。

花の名前を知っている

日本は自然に恵まれた国です。昔から日本人は多くの花や木を愛《め》でてきました。桜一つとっても、ソメイヨシノだけでなく、大島桜、彼岸桜、山桜、滝桜、ウコン桜など多くの種類があります。ごぎょう、はこべら、ほとけのざ、せり、ナズナ、すずな、すずしろのような春の七草、はぎ、おみなえし、ききょう、ススキ、フジバカマ、くず、なでしこなどの秋の七草、季節ごとに咲く草花によって、季節の移り変わりを感じてきました。クヌギ、ブナ、ナラなどの広葉落葉樹は若芽や紅葉で季節を敏感に知らせてくれます。ねじり花、赤まんまなど、最近はこうした自然の草や木は都会から姿を消し、公園に人工的に植えられた樹木や花によって季節を教えられています。

残念ながら、多くの日本人は『万葉集』や『古今和歌集』で歌われ、『枕草子』や『源氏物語』に描かれた花や木の名前を知らなくなってきています。華道や茶道をたしなんでいる人は、季節感を大事に味わうことを教わるはずですが、現実にはお手前の手順や、花のアレンジの仕方を習うだけのことも多いようです。私の好みかもしれませんが、日常の生活の折節のなかで、自然の花や木の名前を知っている女性は、とても奥ゆかしく魅力的に見えます。タレントや歌手の名前を知らない大人を、若い人はバカにしますが、そうした流行のタレントや歌の多くは二、三年で覚えられては忘れられ、消えていきます。それにくらべ草や木は何千年もこの土地に生き、この国を彩ってきました。

そうした花や木の名前を知っているということは、自然をいとおしむ態度に繋がります。花や木の名前を知っている人は、自然を丁寧に観察しているといっていいでしょう。植物を愛された昭和天皇は、名もなき草というのは存在しない、すべての草には名前があるのだと言っておられたそうですが、名前を知るのは自然をいとおしむ一歩です。

露草《つゆくさ》色、浅葱《あさぎ》色、朱鷺《とき》色、檜皮《ひわだ》色、利休《りきゅう》鼠《ねずみ》など色の名前も昔は植物や動物由来の色が多かったようです。

同じように、食べものでもファーストフードやコンビニのパックのものが増えました。でも時にはそうしたできあいのお惣菜ばかり食べるのではなく、素材から下ごしらえをし、単純な味つけで野菜や山菜を食べ、季節感を味わいたいものです。外国の人たちのあいだでは、体にいいと日本食が大ブームです。でも本家の私たちが、伝統の日本食を食べなくなっているのはさびしいことです。味噌や醤油と豆腐からつくる白和え、ぬた、からし醤油などの和えものも家庭ではあまり作られなくなりました。自分たちの暮らしの独自性を大事にすることは、グローバル化が進む今こそますます大事になってきています。

お正月、雛《ひな》祭り、端午《たんご》の節句、七夕、お盆、お月見などの行事も、子ども時代の思い出と重なって、季節を知らせてくれます。私の知人は小さなマンション住まいですが、壁のくぼみの小さな空間を床の間に見立てて、小さなミニアチュアの季節の飾りをしています。節分の赤鬼の面と豆、折り紙の内裏雛《だいりびな》、七夕の笹、月見のお団子や紅葉、そうしたちょっとした心遣いが、その女性の暮らしの丁寧さ、生活の品格を感じさせます。

古典を読む趣味をもつ

自分の感性、自分の価値観がどのようにして形作られてきているかを考えると、私の場合は子どもの頃からの読書の影響が大きいと思います。アンデルセンの童話、日本のお伽噺《とぎばなし》から始まって、トーマス・マンやヘルマン・ヘッセ、ロマン・ローラン、トルストイ、ドストエフスキーなど、むさぼり読んだ名作の数々が思い浮かびます。三十代の人だったら、『風の谷のナウシカ』『タッチ』のような名作アニメや漫画が、なつかしの「愛読書」かもしれません。

あるいはテレビドラマや、映画のストーリーや一シーンが心に残っている人もいるでしょう。聖書や論語のような古典を愛読している人もいますし、『古今和歌集』や『万葉集』のような歌集、ハイネやランボーの詩集を愛読している人もいます（実は私の愛読書は正岡子規が批判して以来、すっかり古臭い歌集と思われている『古今和歌集』です）。

そうした心に残っている本や、ビデオを大事にしていきましょう。ベストセラーや話題のハウツーものをどんどん読み捨てて、題名さえ覚えていない読書をしていては、人生は豊かになりません。多くの本は時の流れのなかで忘れられ、消え去っていきます。仕事の上で読まなければならない書類が多い時期には、流行の本を読んでいる時間はあまりありません。その点、古典は時代が変わっても生き残っているだけの価値をもっている本が多いので、読み返したい愛読書は捨てないで取っておきたいものですが、問題はスペースです。その点図書館はありがたい施設です。名作は何年かたって読み返してみると、自分の経験によって前に読んだときには気がつかなかった別の顔を見せてくれます。

できればそのなかから心に残る一節を記憶しておきましょう。短歌や詩は語調もよく、目で見ているだけでは覚えきれなくても、何度か声に出してみると意外と覚えられます。平安時代の上流の女性の教養は、まず書道と楽器と古今集を記憶することだったといいます。現代でいえば、パソコンと楽器と古典書でしょうか。今の時代、古今集のすべての歌を覚える必要はありませんが、こうした歌を知っていると、花鳥風月の自然を見る目が敏感になるのは確実です。俳句も同じ効用があります。

学校唱歌や歌謡曲、映画主題歌など、人は自分が十代に、特に十七、八歳の頃歌った歌を、一生懐かしく覚えているそうですが、そのほかにもいつ聞いてもいいなと思う音楽があります。モーツァルト、ベートーヴェン、シューベルトのようないわゆるクラシックの名曲だけでなく、ジャズのスタンダードナンバーでも、ポップスの名曲でも、自分が好きな歌があるのはとても幸せなことです。

自分の好きな音楽がある、自慢するためではなく楽しむために音楽が愛せるというのは、人生にゆとりを与えます。スポーツもそうでしょう。実際に役に立たなくても、仕事で直接の役に立たなくても、何かそうしたプラスアルファの部分をもっている人は、人間味があり、結果として品格を感じさせます。夢中になる趣味に少年のように目を輝かす男性もいますが、なかなかいいものです。私も収入や職業には役立たないことばかり好きだなと自分でもおかしくなりますが、そういう自分が自分なのだと思っています。

思い出の品を大事にする

『「捨てる！」技術』という本がベストセラーになり、雑誌は入れ替わり立ち替わり「すっきり収納」「整理術の秘訣」という特集をしています。私もそうですが、いくらこうした本や特集を熟読しても、すっきり整理できる人はほとんどいないと思います。豊かな社会になってどの家庭でもものがあふれており、住宅が狭いという嘆きが満ち溢れています。

　そのなかでものを大切にとか、思い出の品を大事にといっても、「スペースがないから無理」と言われてしまいそうです。たしかにすっきり暮らすためには、ものをたくさん所有しないにかぎります。多くの日本人は、半世紀の間に急に豊かになったので、ものとどう付き合えばいいのか分からないので、ものにふりまわされています。

　豊かなヨーロッパの成金ではない中流の家庭では、ものはあふれておらず古いものが大事にされています。アングロサクソン系の人たちは、着るものや食べるものにお金を使わないのに、家や家具には思い切ってお金をかけます。日本でも旧家といわれるようなお宅では、立派な家具や骨董品があっても、収納する蔵などの設備が整っており、すっきり暮らしていらっしゃいます。

　欧米では古いものを尊重し、日本は新しいものを喜びます。伝統的な日本人の暮らしでも、新しいものを手に入れるときには、古いものを手放す儀式がありました。お正月の飾りは左義長《さぎちょう》で焼く、お守りや人形は年末のお寺さんのおたきあげや新年の神社のきよめ火で焼く、お盆の飾りは精霊流しをするなど。そうしたある役目を終わったら消えていくべきものと、大事に長く愛でいつくしむものの仕分けが大切なのでしょう。どんどん役目を終わらせて消えていくべき消耗品は、かかえ込まず回転させていかなければなりません。廃棄物処理が地球環境を守るうえで重要な課題になってきているので、少しずつ家電製品や空き缶や空き瓶、古紙の回収も始まりました。バザーや自治体の回収など、いろいろな機会を利用して排出していきましょう。静脈がつまると、ものごとがスムーズに運びません。デトックス（解毒）は健康上重要なように暮らしにも必要です。

モノを循環させていくなかで、ぜひ死ぬまでそばに置こう、少なくとも三十年は使おうという家具や器を少しずつ買いましょう。洋服は消耗品ですが、和服は大事にすれば三代は着られます。私の母が結納のときに着た振袖と帯は、私たち姉妹や私の娘も、結婚式のお色直しに着ました。ファッショナブルなアクセサリーは、時期が来れば手放さなければなりませんが、数少ない本物の宝石は次の世代にプレゼントできます。

母や父の形見を大事にしていると、彼らの愛が自分を守ってくれるような気がしますし、生命の連続を感じます。一つでも二つでもそのような思い出の品は身の回りに置いておきたいものです。過去を振り返らない、今がよければいいじゃないのという生活態度からは、あまり品格を感じません。私たちの現在の暮らしは、過去と未来の間に存在するのです。今だけでなく、過去があり将来を考えた生活から、品格が生まれてくるのではないでしょうか。

無料のものをもらわない

駅や盛り場を歩くと、消費者金融やデートクラブのテッシュペーパーがいくつも手渡されます。シャンプーや化粧品のサンプルをもらうときもあります。配っている人はアルバイトで早く配らなければならないから、もらってあげたほうがよい、会社もそのために配っているのだから、せっせともらいましょうという考え方はあります。でもこうした無料のポケットテッシュをたくさんためているのはあまりかっこよくありませんし、特にテレフォンクラブや消費者金融のようなスポンサーのモノは、できるだけもらわないように気をつける、本当に自分で使おうと思わないメーカーのシャンプーや化粧品、食べてみようと思わない食品の試供品には手を出さないようにしましょう。何でももらえるものはもらっておこうというのはちょっと卑しく、品格をなくします。自分の基準で取捨選択し選ぶと身の回りもすっきりします。

街頭だけでなく、見本市や、シンポジウムなどいろいろな会合に出席すると、スポンサーの企業からちょっとしたプレゼント（ノベルティというようですが）をもらうこともあります。とてもかわいくて捨てがたいものもありますが、そうでない場合ははじめからいただかないほうが、家も散らかりませんし、物も無駄になりません。なんでももらうのではなく、ノーと言う勇気をもちましょう。

デパートの食品売り場も、試食品がたくさん提供されています。買おうかなと思うものので、その前に念のため試食してみたいというのはいいですが、いろいろつまんでお昼の代わりにしましょうというのはいただけません。知っている人に見られるとバツの悪い、ちょっと恥ずかしい行動はしないようにしましょう。

食べものに関して気をつけなければならないのは、食べ放題のバイキング、飲み放題のレストランなどでのマナーです。食べきれないほどお皿に盛ってパクパク食べている姿は、あまり魅力的ではありません。ビュッフェパーティーなどでは食べるのはほどほどにして、いろいろな人と話すことを心がけるべきです。お皿を持って、ハンドバッグを持って、その上グラスまで持ってパーティーで話している人は、よほど器用でないかぎり、優雅には見えません。ビュッフェパーティーでは食べものを食べることを目的とせず、いろいろな人と会うことを目的として振舞いましょう。

飲み放題の居酒屋やレストランでも、「この際もとを取りましょう」とぐいぐい飲んだり、注いだりするのは美しくありません。「飲まないと損」と計算する姿勢が卑しいのです。また食べ過ぎ、飲みすぎのあとで後悔するのは自分自身です。限度を超えた飲食は健康に悪いだけでなく、品格も失います。あえて、お得でなくても一杯ごとにその代価を払うほうが、品格があります。

第五章 品格ある人間関係

もてはやされている人に擦り寄らない

人間うまくいっているときは周りに人が集まってきます。事業が発展している、会社の業績がいい、サラリーマンでも昇進したとか、いいポストに就いたとかすると、その人の中身や価値が変わったわけでなくとも、急に知り合いが増えます。

「昔の同級生（同僚）の○○です」「同じ町（市、村、県）出身の○○です」「いとこの○○さんの友だちです」といった具合に、いろんな人が近づいてきます。そうだったかな、とあまり記憶がはっきりしなくても一応丁寧には接しますが、そうした時期にはあまり顔も名前も覚え切れません。多くの人は善意で悪気はないのですが、なかには仕事の上で便宜を図ってもらおうとか、利用しようとかの意図をもって近づいてくる人もいます。

したがって初めて会う人には警戒感をもつのが普通です。その人がもてはやされており、有名であればあるほど、その警戒感は強いでしょう。もてはやされている人に擦り寄るのは品格がないだけでなく、効率も悪いのです。今現在人気絶頂の人に好意をみせてもあまり報われないと考えましょう。

普段の生活でよくあるのは、誰かが昇進したり、花形ポストに就いたときです。そうした人は組織のなかで周りからも一目おかれ、意見は尊重され、大事にされます。周りがちやほやします。したがってそうした人に少しぐらい好意を見せても、相手にとって印象は薄いでしょうし、感謝もされません。そうした相手にぺこぺこするより、ある程度の距離をおき、礼儀正しく、しかもべたべたしないでお付き合いするのが品格のある人のすることです。

しかし、間違ってもこうした成功している人に反感をもったり、嫉妬したりしてはいけません。もてはやされている人をちやほやする人が多い一方で、それを妬み、面白く思わない人もいます。遠くの有名人には「うわぁー素敵だわ」と接することができるのに、身近な成功者には心が穏やかになれないのが人情です。そうした人は、自分はそうしたもてはやされている人に擦り寄らないのだということを誇りにし、相手を批判したり、無視したりします。実はこれも裏返しの功名心で、あまりいいものではありません。品格のある人は淡々と心を乱されず、相手の成功や幸運を祝福できます。

ときどき有名人とのツーショット写真を部屋に飾っている人がいます。自慢げにそうした写真を見せびらかす人もいます。でもこれはあまり品格のある行動ではありません。パーティーやいろいろな集会で有名な人の周りに集まって写真を撮っている人がいますが、ほどほどにしましょう。テレビによく出ているとか、新聞や雑誌に出ているとかの「有名人」の周りには、有名な人と知り合いだということがうれしいという人もやってきます。パーティーの席で一緒に写真を撮ろうとか、サインや色紙を求められることもあります。

有名な人と知り合いであるとうれしいというヤジウマ心理はありますが、それを行動に表すのは、自分が価値のない人間であると宣伝しているようなものです。

利害関係のない人にも丁寧に接する

昭和女子大の正門には守衛さんがいて、朝登校する学生や教職員に「おはようございます」と挨拶《あいさつ》しています。それに対して「おはようございます」と応える学生は何割でしょうか。本来百パーセントの学生が「おはようございます」と応えなければなりません。

人間の品格はこういうときによく分かります。上司や先輩に対しては、ほとんどの女性が礼儀正しく振舞うでしょう（最近は、それさえもきちんとできない人が増えているようですが）。

ところが守衛さん、受付の人、お店のレジの人、掃除のパートの人、電話の交換手などには気を遣わず挨拶さえしない女性がたくさんいます。彼女たちはそういう人たちは自分とは無関係と思い、その人たちからどう見られても関係ないと思っているのでしょう。挨拶したり丁寧に接したりする人が少ないから、めずらしく丁寧に応対する人は印象が深く、好意をもたれます。直接すぐに結果は出なくとも、必ずその女性の評価に関わってきます。人間の品格はそうしたときに現れるとみんな知っています。

このような利害関係のない人に対してばかりでなく、自分より弱い立場の人にどういう態度をとるかで、その人間の本性がにじみ出ます。今は少なくなりましたが、均等法施行前の職場で男女差別が当たり前で女性が一人前に見られていなかった頃、部下の女性にタバコを買いに行かせたり、食事の世話をさせたりなど私用を頼む男性がいました。女性の目を気にせず、ポルノカレンダーを張ったりする男性もいました。今はこうした態度は、セクシャルハラスメントとして禁止されていますが、弱い立場の人に配慮するというのが、品格ある人間の基本行動原理です。

私の知っている外務省の公務員で、評判のいい人がいました。彼は大使館や総領事館で働いている現地雇いの人にも丁寧で、かつ仕事の指示が行き届いていて人気がありました。その後、彼はどんどん重要ポストに就いていきましたが、みんな納得していました。上の人に取り入ろうとする人は多くとも下の人に配慮する人は少ないからです。

ふつうの職場でも上司に気を遣う人ほど、部下にはわがままで、無礼なことを平気で言ったりします。あるいは、能力がないとみなされて職場で軽んじられている人をバカにしたり、いじめたりする品性の卑しい大人もいます。

公務員は取引関係のある業者と飲食したり、贈答したりすることは公務員倫理法で禁止されていますが、民間企業はどうでしょうか。職務上の地位を利用して、弱い立場の人にサービスさせるような恥ずかしいことをしている人もまだまだいるようです。女性でも一流企業に勤務していたり正社員であったりすると、中小企業や取引先の社員より自分を上だと思ったり、派遣社員や契約社員を見下すようなことはないでしょうか。人は上ばかり見がちですが、下から厳しく見られていると覚悟しておきましょう。

仲間だけで群れない

女子高校生や女子大学生は、すぐに仲よしグループを作ります。一緒にお弁当を食べたり、おしゃべりをしたり、買い物に行ったり……。仲間は青春を楽しむ必需品という趣さえあります。若者が一番気にするのは、こうした仲間からの目だそうです。学校の先生や親より、仲間の意見（というより好みですが）を尊重し、仲間のルールを守ろうとします。ときには仲間はずれにならないために、万引きをしたり、いじめをしたりしかます。仲間のなかに自分の居場所があれば安心感が得られますが、居場所がなくなると一人ではとても不安でやっていけないのでしょう。

仲間はずれに対する恐怖心は、若い女性の間でもとても強いようです。流行のファッションを身につけるのも、仲間から評価されるため、本や雑誌も、テレビを見るのも仲間との話題についていくため、就職や、ボーイフレンド選びにも仲間の目を意識するそうです。そのために、自分の本来したいことを犠牲にしたり、家庭や学校の勉強がおろそかになることも珍しくありません。卒業して社会人になっても、子どもが生まれて主婦となっても、同僚のOLや、近所のママ友《トモ》とグループを作り、群れることが多いようです。

そうした狭い交友関係の間でいろいろな「気持ちのぶつかり合い」があって、子どもの遊び友だちの幼女を殺した事件がありましたが、そこまでいかなくてもいつも一緒に過ごしていると息苦しい関係になりがちですし、何より品格を磨けません。

友だちがいることはとても重要ですが、群れるのは品格がないというのが私の意見です（そういうと大人だって会社でも政界でも、派閥を作って群れているではないかと言われそうですが、たしかに大人の派閥も美しくありません）。なぜか？　群れているうちに自分自身で判断しなくなり、正しいことは何か、自分は本当は何をしようとしているのかに向きあわなくなるからです。集団のなかにいると、集団の団結が優先され、仲間意識を保つために個人の行動や目的が制限されます。みんなでサボれば怖くないとばかり、個人の努力や意欲をなえさせます。独りでいるときは相応のマナーを守れる女性でも、団体行動になるとたんに集団の一員となりきって他人の目を意識しなくなり、傍若無人《ぼうじゃくぶじん》となり、大声を出し、行儀が悪くなるのもよくあることです。集団のなかに個人が埋もれて悪いことを恥ずかしがらなくなってしまいがちです。

アメリカでも中高校生は、ギャングエイジと呼ばれるように群れていることが多いようです。しかし大学生になると、目的をもったいろいろなグループで活動することが多く、また勉強が忙しいこともあってあまり群れていません。

私も日本の女性に群れるなとは言いませんが、いつも似たような立場の女性と集まっているだけでなく、それぞれ目的をもったグループに入って活動するように勧めたいと思います。ボランティア、趣味、勉強など複数のグループに属すと、自分が一つのグループのなかだけで生活しているより視野が広まり、自由が増します。そんなことをすると仲間はずれになると心配しないでください。品格ある女性の第一歩は一人で生きていけること、群れないことから始まります。

不遇な人にも礼を尽くす

「勝てば官軍、負ければ賊軍」という言葉があります。祝賀の人並みが押し寄せあふれかえる当選者の事務所と、ひっそり静まり、いつの間にか一人ぬけ二人ぬけしてさびしくなる落選者の事務所。清少納言『枕草子』の「除目《ぢもく》に司得ぬ人の家」でも描かれた光景です（二十五段「すさまじきもの」）。職場でも主流といわれ、花形といわれるポストに就いた人の周りには先にもふれたとおり、人が集まってはやし立てますが、不遇なポストに回った人に対しては、軽く見て、よそよそしく寄り集う人も少なくなります。

でもご用心。おごれるもの久しからず、トップが替わるとそれまでの冷や飯組が主流に躍り出て、今まで肩で風を切って歩いていた主流派が日の当たらぬ場所に追いやられることも珍しくありません。男性たちはこうした権力の行方に敏感です。男性は権力への執着度が高いからでしょうが、そのときどきの権力者をかぎわけ上手に取り入る器用な人も数多くいます。

女性はそのひそみに倣《なら》いたくないものです。勝負は時の運、たまたま今は日が当たらなくても能力や人格が優れた人、自分を認め親切にしてくれた人には敬意を払い、丁寧に温かく接するべきです。今現在の職場での成功、不成功で人間を評価するのは、薄っぺらな人間性の乏しい人のすることです。

残念ながら今の日本ではこうした品格のない人が増え、社会全体が功利主義に走っていますので、つらい思いをしている人は多いでしょう。功利計算ができる人が現実的なオトナで、それができないのは未熟な青二才とみる常識にまどわされないようにしましょう。功利計算に動かされず、正義感とか、倫理観のような、別の基準をもっている人間としての心意気が、人間としての品格をもたらし、社会の品格を上げます。女性のなかでも器用な人は、時流に乗ろうとして権力者に取り入り、権力者に媚び、権力のおこぼれに与《あずか》ろうとしますが、これは人間としての品格を疑わせます。

ポストによって掌を返すような態度を示す人が多いなかで、不遇な人に温かいまなざしを向け、礼儀正しく接すれば相手の心に残ります。

引退していく人にも礼儀を尽くしましょう。もう引き立ててもらうこともない、仕事を助けてもらう直接のメリットはないと分かっていても、温かく付き合うことは人間としての評価に厚みをもたらします。中国という国に対していろいろな批判もありますが、水を飲むときに井戸を掘った人を思い出すとして、権力から離れた人も礼遇するところに、国としての品格を感じます。これに比べて、日本の現職優遇の態度はいかにも薄っぺらで品格がありません。

不思議なことに、こうした直接には役に立たない礼儀正しさが、実は本当の人脈をもたらし、職場や社会の成功にも繋がります。

怒りをすぐに顔に出さない

好きな男性が自分の嫌いな女性と仲よくしている、自分の愛する子どもが受験で失敗した、能力で劣ると自分では軽んじていた人に仕事で負ける……。例を挙げるときりがないほど、生きていると世の中思うようにならないこと、腹が立つことが次々と起こります。

弱い人に意地悪したり、いじめに加担したりセクハラしているのを見ると、なんて卑劣なことをするのだろうと腹が立ちます。悪い人がうまく立ち回って、正しい人がしてやられるのを見ると、他人事ながら怒りがこみあげてきます。信頼していた人に裏切られて自分の人を見る目のなさを思い知らされます。嘘をついた人にも、約束を破った人、誤りを認めない人にも腹が立ちます。

そのときにカッとなって怒りや、腹立ちを爆発させると気持ちがスーっとします。我慢しているとストレスがたまるから、発散させたほうが健康にはいいと考える人もいます。私もかなり怒りっぽいほうで、すぐに怒りや腹立ちを態度や顔に出してしまいます。自分では単純で正直だからと思っていますが、あまり自慢できる性格ではありません。

しかも、後で考えると腹を立てた出来事の大半は、しばらくたつと忘れます。何で怒ったのか思い出せないことさえあります。もちろんなかには、しばらくたっても忘れられない怒り、けっして妥協してはいけない怒りもありますが、それは本当に少しです。さらに困るのは怒った当人は何で怒ったのか忘れているのに、怒られたほうはよく覚えていることです。その人の好意を失うばかりでなく、アノ人は怒りっぽい人という評判、評価がつきます。怒っていいことは何もありません。

男女差別だと批判する気はないのですが、男性ならその場で怒っても比較的許されることが多いのに（男性たちが怒ることに世の中が慣れているからかもしれませんし、強い立場なら許されるのでしょう）、女性が怒ると悪評がついて回ります。どんなに正論を言っていてもです。

少なくとも腹が立ったとき、悔しいとき、それをストレートに表現するのはやめましょう。よく腹が立ったら深呼吸をしろとか、心のなかで三つ数えろとかいわれます。私も昔はそんなに効果があるとは思っていませんでしたが、意外と役に立ちます。きっと怒りの渦のなかにいる自分の気持ちを深呼吸しなくてはと別のものに意識を向けることで、ふっと気分が変わるからでしょう。

もう一つは「あっ、今自分は怒っている、腹を立てている」と自分をそばにいる人のように観察することです。自分を客観視するというのでしょうか、醜い顔をしていないか、言わずもがなのことを怒りにまかせて言っていないか、鏡を見る気になると気持ちが変わります。感情におぼれて怒っている顔はけっして魅力的ではありません。

本当に怒るべきとき、言うべきときならもちろん怒りましょう。しかしそうした本当の怒りは、感情に任せて爆発させるより、時間をかけて、冷静に、いつ、どこで、どう表現したら一番効果があるのか、考えてから怒りましょう。そうした怒りが相手にとっても実は一番恐ろしいのです。

グラス半分のワイン

私は人生の多くのこと、たとえば仕事も家庭も、「グラス半分のワイン」と思っています。

グラス半分のワインとは、空《から》でもないが、満杯でもないという状態です。仕事の場面でもお給料にしても、同僚にしても、上司にしても、部下にしても、仕事の内容にしても、百パーセント満足ということはありあまりません。もし完全に満足しているのであれば、その人はとてもラッキーな人です。いいところもあれば悪いところもあるのが現実です。

しかし、不満足なところ、足りないところを数えたてたら、それがよくなるでしょうか。もし、不満や問題点が改善できる性質のものならば、それを指摘し、何とか改善しようとするのはとても重要なことですが、改善できないのであれば、ありのままの現実を受け入れることです。それを見分けるのはとても難しいことです。「神よ、私に変えるべきものを変える勇気と、変えられぬものを受け入れる寛容さと、変えられるものか、変えられぬものかを見分ける知恵を与えたまえ」というのは誰の言葉だったでしょうか。

むかし総理府青少年対策本部で働いていて、世界青年意識調査に携わったときに、アメリカの青年は職場に満足している割合が高いのに転職率が高く、日本の青年は職場に不満が多いのに転職が少なかったのを不思議に感じたものです。当時は日本的経営がもてはやされていた頃で、終身雇用、年功序列の日本の企業社会では、転職は不利だから、不満があっても転職せず、我慢していたのでしょう。

アメリカの青年は不満があればさっさと転職します。結婚もそうです。アメリカでは離婚率が高いので結婚しているカップルの満足度は高く、日本では不満をもちながらも離婚にふみきらないカップルが多いのと似ているかもしれません。しかし、転職しないなら、不満を言うよりその職場のいいところを発見して、楽しく仕事をしたほうがずっと本人もハッピーだし、周りも気持ちがいいでしょう。

自分の属している企業の悪口を言うことは、自分自身の悪口を言っているのと同じことです。会社に対する不満を聞かされた人は、「悪口を言うくらいなら転職すればよいじゃないか、転職する気力や能力がないのなら文句を言うな」と思っていると覚悟しましょう。それとも悪口を言っている当人は「そんな悪い会社に我慢しているあなたは偉いわね」とほめてもらおうと思っているのでしょうか。大間違いです。たとえ不満があっても「この企業はこんないいところがある、仕事のここが面白い」といいところを見つけて、生き生き働いているように振舞ったら、変化が起こります。生き生き振舞うと自分の気持ちも明るくなります。笑顔を向けると同僚たちにもその弾む気持ちが伝染します。ぶすっとしていやいや仕事をしていたら周りにも「嫌だなウイルス」が伝染します。

コピー取りをしながら、その資料が誰から誰に伝わるかを観察しましょう。どうすれば早くきれいにできるか、コピー機の機能で便利に使えるものはないか調べましょう。好奇心と向上心があれば、仕事は楽しくなります。考え方が肯定的になると嫌なこと、イラつくことが少なくなり、新しい風景が見えてきます。

プライバシーを詮索しない

人間は他人のことより自分のことに興味がある傾向がみられますがその一方で、人のプライバシーに興味をもち、何かと詮索する下品な人がいるのも事実です。顔見知りではあるが、それほど親しくない間柄の人に、収入を聞いたり、住まいを聞いたり（マンションか一戸建てか、借家か持ち家かなんて関係ないでしょうに）、子どもの学校を聞いたり、夫の職業を聞いたりされた場合は、できるだけ近づかないようにしましょう。そんな下品な人と付き合っていると不愉快な思いをすることが多いばかりです。まあたいしたことないですよといなすか、聞こえない振りをしてもいいかもしれません。せいぜい「何とかそこそこ暮らしていけるだけは」とか「まあ元気にやっています」と言っておけばよいので、真正直に答える必要はありません。

逆に親しい仲の友人から好意をもって、「パートナーは元気にやっていますか？」とか

「お子さん大きくなった?」と聞かれたら、近況を報告してもいいですし、子どものことを話してもいいでしょう。もちろん、自慢することも愚痴を言うことも避けて、淡々と言っておくのが上品です。

一般にいって、親しい仲では節度をもって、相手のプライバシーに関わることを詮索しないようにしましょう。夫の地位、子どもの進学先など他人から触れられたくない人も多いのです。私もかなり親しい女友だちでも、本人が話題にしないと尋ねないので、配偶者の職業や地位を知らない場合が多々あります。

ちょっととまどうのは、たまたま意図しないで友人のプライバシーや個人情報を知る場合です。

劇場やレストランなどで家族連れ立っているところに出くわして、「やあ、やあ、こんなところで」というほほえましい場合もありますが、異性と一対一で親しくしているのを見かける場合もあります。そのときは目を合わさないように、気づかれたと知られないように離れましょう。

私も一度あるレストランで友人と食事をしていたときに、別のテーブルにその女性の離婚した前の夫君がいました。気がつかない振りをしていましたが、さすがその男性は自分から友人のところに「ごぶさたしていますが、お元気ですか」と挨拶にみえたのでこちらとしてはほっとしました。

このようにかっこよくいかない場合でも（現実にはそれが普通でしょうが）、あとで「この前一緒だった方はどなた？　どんな関係？」と根掘り葉掘り聞く下品な真似はやめましょう。あなたの品格が疑われます。ましてやそれを人に言いふらすなどもってのほかです。武士は相身互い、相手に都合の悪いことは見なかったことにする、忘れてしまうというのが一番品格があります。

このほか日常生活のうえで、試験の点数が見えたとか、給料明細が見えたとか、勤務評定の点数が分かってしまったとか、デートの予定を見てしまったということもないではありません。でもそれは見なかったことにしなければなりません。「私〇〇知っているんだ」「〇〇さんって、お給料〇〇だって、すごいわね」などと口外してはあなたの品格が疑われてしまいます。

後輩や若い人を育てる

学校でも二、三年上の人なら覚えていても、後輩のことはあまり覚えていません。職場でも上司や先輩のことは部下たちは注意深く観察していますが、部下や後輩のことにそれほど注意しないのが普通です。人数が多い職場では部下の名前と顔が一致しないことも珍しくありません。

職業人として働く以上は、職場で指揮命令する立場の役職者が何を考えているか知ることは仕事をきちんと行ううえで不可欠です。人事評価や抜擢も上司の権限で行われますから、気に入られたいと思うのは当然です。先輩に対しても、自分も将来ああいう立場になるんだという目で見ますから関心が深くなります。しかし部下や後輩に対しては彼らの意見によって評価が左右されたり、自分が将来もう一度その立場にたつとは考えませんから、どうしても関心が薄くなります。また働く女性は年上の男性管理職に認められるのが昇進の第一歩と努力をおこたらず上役の意向をくむように、上に気配りしながら仕事をしてきた人が多く、自分に対する後輩の未熟さ、不完全さ、マナーの悪さが許せないという厳しい女性もいます。しかし、こういう女性から品格を感じることはできません。

先輩や上司が自分のことを気にかけていてくれるととてもうれしく、誇らかな気がします。ましてやその人から好意ある励ましやアドバイスを受けると感動します。

「自分がしてもらうとうれしいことを他人にする」と抽象的に言ってもぴんときませんが、後輩の場合、上司の場合はとても分かりやすい例です。自分が上司から言ってもらいたい言葉、「さすが君でなければこんなにうまくはできないよ」「ここまでするにはさぞ頑張ったんだろうね」とほめてもらって天にものぼる気持ちになったことはないでしょうか。自分が言ってほしかった言葉を自分の部下に言ってあげましょう。「辛いときが伸びるとき」なんだよとの励ましや、「ここんところをこうするとうまくいくんだよ」「自分の経験ではこうしたほうがいいと思うよ」といったアドバイスも、同僚から聞くより上司から聞くほうがありがたく響きます。

だから後輩や部下といい関係を結ぶのは、ライバルや上司と付き合うよりとても楽なのです。それに甘えて、部下に付き合わせてお酒を飲んだり、世話させたりというおろかな上司もいます。部下におごってやった、後輩に飲ませてやったと親分風を吹かせる人もいます。品格ある女性は、そんなおろかな男性上司の真似をする必要はありません。仕事の上で後輩や部下を育てよう、励まそうという態度で接することが重要なのです。

若い人たちに自信をもたせ、励まし、そして少し指導する。自信をもって生き生き働く部下は、あなたにとってかけがえのない財産になります。女性は今まで部下や後輩を育てる立場に立つことが少なかったのですが、これからはそれも大事な仕事になります。部下を育てたら自分の地位が奪われるという厳しい競争の企業もありますが、日本ではそれは稀なケースです。多くの企業では、先輩として、上司として、後輩や部下を「育てよう」という態度で臨む女性を必要としていますし、あなたの格が上がります。

聞き上手になる

人間は自分のことに一番関心があります。新聞の紙面の片隅に小さな活字で自分の名前が出ていると、それだけが目に飛び込んでくるように感じます。でも他の人の注意はまったく引きません。同じように自分や自分の家族のことは、自分にとってはとても魅力的な話題ですが、自分が思うほどには他人は関心がないと覚悟しておきましょう。自分がいろいろ工夫してうまくいった手柄話、いろいろ人に知られぬ苦労をしたり、悩んでいる話をしても、多くの人は聞き流すだけかお愛想で相槌を打ってくれるだけです。

家族に関しても同様です。チラッとエピソードとして家族のことに言及するにしても、いかに自分の子どもがかわいいか、いかに賢いか、いかに性質がよいかを述べ立てても共感は得られません。よほど話術がうまくないかぎり、夫は魅力があるとか、立派だとか、やり手だとか言っても反感を買うだけです（ローラ・ブッシュ夫人のように夫のブッシュ大統領がいかに寝坊で、読書が嫌いで、テレビが好きかというように笑いものにすると、みんな喜ぶのですが）。

「自分か、自分の家族以外の話題はない」「他人の噂話はもっと品がないし、さしさわりがある」「そんなに人をひきつけるほどの話題も知識も教養もない」と引け目を感じる必要はありません。一番品格のある会話は、自分のことを話したくてたまらない人（ほとんどすべての人）の話を聞くことです。

コミュニケーションの一番の基礎は聞くことです。会話のなかで気の利いたことを言おうとか、笑いを取ろうとか、ユーモアとセンスのよさを見せようとする必要はありません。ひたすら相手の話を肯定的な態度で聞くのです。

傾聴という活動があるのを知っていますか。それはただ聞き流す、訊く、尋ねるのではなく、相手の話すことに耳も心も傾けて聞く、話し手を中心に置く聞き方です。批判したり、評価するのではなく、相手の言い分を無心に聞く。これは心理カウンセラーの重要な手法ですが、傾聴によって、問題を抱えている話し手が、聞き手に受容されていると感じ、悩みを吐き出し、新しい気づきが生まれるといわれます。日常生活でも傾聴することによって相手に安心感、信頼感が生まれ、よい人間関係ができます。

とはいっても本格的に傾聴するのはなかなか難しいことです。ともすれば相手の話をありのままに受けとめないで批評や批判の言葉が出たり、とんちんかんな相槌を打ったり、気休めにしかならない激励をしてしまったりしがちです。専門家ではないのですから、百パーセント完全にできないにしても、話すより聞くことを心がけるだけで、人間関係はずっとよくなるはずです。

さらに重要なのは相手のアドバイスを聞くことです。傾聴するときと同じく、心を込めて相手の言っていることに耳を傾けましょう。ついついアドバイスをしてもらいながら「そんなこと私には無理だわ」「この人は本当の事情を知らないで自分の信念から言っているだけだわ」「自分がうまくいったからといって私がうまくいくとは限らないわ」と思ってしまいがちですが、そんな態度は相手にも伝わります。せっかくのアドバイスは直接役に立たなくてもヒントになることは必ずあります。子育てにおいてもまず子どもを受け入れ肯定して信頼関係を作るのが一番重要だといわれています。まず子どもの言い分を心を込めて聞きましょう。

家族の愚痴を言わない

職場の愚痴を言うとあなたの価値を下げるように、家族の愚痴を人に言うのも品格を傷つけます。親の悪口を言っても自分がその人の子どもであり、その人に育てられたという事実は揺るぎません。それを受けとめ、肯定し、完全でない親を愛することから人間性が磨かれます。夫もそうです。結婚したときはこの人と人生をともにしようと決心していたはずです。長い結婚生活のうちには、夫に対する不満、悪口を言いたい気持ちになるときはありますが、それを友人や知人に言っても困惑させるだけです。

時間がたち気分が変わるととても耐えられないと思っていたことがたいしたことでなくなることがよくあります。気分が変わると自分が不満や愚痴を言ったことを忘れて、相手が自分に合わせて夫の悪口を言ったことだけ覚えているということも間々あります。相手も品格ある女性なら家族の悪口を言っても、「そんなこと言っても彼にもいいところもあるわよ」とかばってくれますが、一緒になって相槌を打たれても心穏やかではありません。夫の愚痴を言えば言うほど「そんなに嫌ならなぜ別れないの」と思われるのが関の山です。多くの場合離婚するほどの深刻な大事ではないが、癪《しゃく》に障る、気に入らないという程度のことが多いからです。

自分の親や、子どもなどに対しては、よそに漏れないし自分の絶対的な味方と信じるので、つい夫などの悪口が出てしまいます。しかしそれも相手を心配させ、悩ませるだけです（嫁と姑の間に立つ男性は双方から不満や批判を聞かされてさぞつらいと思います）。もし夫との間にどうしても結婚生活を継続できないというほどの重大な問題があるならば、関係者を巻き込んで大騒ぎをするより専門家に入ってもらって、もめごとをあまり長引かせないように処理すべきです。

子どもへの不満も自分の期待の大きさ、愛情の深さが原因になっていることが多くなかなか複雑です。友人から子どもへの不満を聞かされたら「本当に子どもはしようがないのよ」「子どもって親の思いどおりにはならないわね」ていどにさらりと言っておくのが無難です。

姑や小姑への愚痴もありふれています。あまりにもありふれているので、聞いた人があらためて困惑することはないですが、「やっぱりね」と思われておしまいです。どれだけ冷静に話しているつもりでも、姑や小姑に対する愚痴は底意地悪く、感情的になりがちです。できるだけほめるところを見つけてほめておきましょう。不思議なことに（当然かもしれませんが）、夫や子どもをほめたり、自慢したりする女性は、コントロールが利かないくらいべたべたにほれきってほめることが多いのですが、姑や小姑をほめている女性は理性的です。私の年になるとお嫁さんの悪口を言う女性も増えてくるのですが、それもできるだけやめて意識して努力してほめましょう。お嫁さんをほめている女性は、立派だな、幸せだなとうらやまれるものです。

家族のことは自慢するときりがないし、悪口を言うのも難しい。よほど話術のうまい人でないかぎり、家族に関する悪口も自慢もやめておいたほうが無難です。

心を込めてほめる

生命保険のセールスの神様といわれる女性に会ったことがありますが、立て板に水のように雄弁な女性ではありませんでした。口数は少なく、しっかりとした話し方でしたが、人をほめるのがとても上手でした。ダイエー会長の林文子さんもBMWの売り上げトップを続けた人ですが、「私はほめ上手」と言っておられます。高額な車や生命保険を売るには相手に信頼され、説得しなければなりませんが、相手の心のドアを開く鍵は相手のいいところをほめることです。セールスの分野だけでなく成功している人は、ほとんど例外なくほめ上手です。

しかしほめるのは実はなかなか難しいのです。最初は表面的なことしか分かりません。背が高くてかっこいいですね。お洋服の趣味がよくてお似合いですよ。最初はそれでいいのですが、いつもそれではいけません。学歴や会社の地位などみんながほめることをほめても、かえってうるさいと思われるときがあります。人目につかないが実は自分が誇りにしていることを認めてもらいほめてもらうのが、誰でも一番うれしいのです。

セールスの達人は相手の趣味や家族関係や経歴などを徹底的に調べてほめると聞きます。昔何かの大会で優勝したとか、こつこつとある趣味を続けているとか、相手に関する情報がなければほめることはできません。相手に対する興味や関心がなければ、情報は集まりません。セールスの専門家は商品やサービスを売るために、それだけの努力をしていますが、普通の生活で女性たちはなかなかそこまでできません。私自身も、もっとほめ上手だったら仕事ももっとうまくいっていたのに、と思い返す場面がしばしばあります。

でも恋愛しているときは、好きになった人についてはその人についてもっともっと知りたくなり、相手をほめたくてほめたくてたまらなくなります。恋人と同じというわけにはいきませんが、恋人に対する関心の半分、いや十分の一の関心でも上司、部下、同僚、お客に向ければ、あなたはその人たちから好かれ、協力してもらえ、時には抜擢されることは間違いありません。私たちはモノやサービスは売っていません。しかし、「私」という最大の商品を売っているセールスマンなのです。みんなに高く評価され愛され受け入れられるためには、少しは努力しなければなりません。

ただ、セールスの場合は売り上げという目に見える評価がありますが、普段はそうした目に見える報酬はありません。報酬をアテにして人をほめるのは品格を落とします。品格をもって人をほめるには、まず無心に相手の行動、言葉、業績に心の底から感心し、いいなと思い、それを表現することです。心にもないほめ言葉はいやらしいものです。それとけっして報酬を期待しないこと。この人に取り入れば、気に入られればいいことがあるだろうと下心があってほめる人は、どれだけ歯の浮くようなお世辞を言っても好かれません。そうした計算は外からもすぐにみえます。かえって逆効果でしょう。そして、それを見ている周囲の人々から、下品なゴマすり女と思われるだけです。

友人知人の悪口を言わない

真の友人は、忠告や批判をしてくれる人だといいます。普通の知人は当たり障りのないことしか言わないでしょうが、真の友人ならば自分にとって不愉快な忠告もしてくれるというわけです。

しかし現実はそう教科書どおりには進みません。真の友人のつもりでアドバイスしたら友情が冷えてしまったという話もよく聞きます。

特に女性の場合は親しくなると、とことん親しくなって、いつも一緒に行動し、何でも打ち明け、なんでもずけずけ言い合える関係になりがちです。何をしても賛成してくれる、何を言っても共感してくれる友人は本当にありがたい存在です。自分の短所も欠点も含めて受け入れられていると思うと、うれしくなって大親友と思い込みがちです。

しかしそうした友人同士が何かの拍子に仲たがいし、悪口を言い合う関係になると悲惨です。お互い他人に知られたくないことも何でも知っていますから、悪口の材料には困りません。「友人だと思ったからこそ打ち明けたのに、ひどい人だ。私だってあの人のこんな話を知っているのに秘密にしておいてあげたのに」と仲たがいする例を私もたくさん見てきました。これは同性の友人だけでなくボーイフレンドや恋人にもあてはまります。

品格のある友人関係を作ろうと思ったら、友人知人の悪口や批判を第三者にはけっして口外しないことです。第三者に言った話は、必ず相手に伝わると覚悟しておきましょう。世の中には品格のない人のほうが多いのです。彼らは人の噂話が大好きで、とくに悪口、批判やケンカはお好みですぐに広まります。コミュニケーション心理学でも、「ここだけの話だから」といった噂話のほうが、何も注意しない同じ話より早く伝わるといいます。

直接聞けばどうということのない言葉でも、第三者から聞かされると嫌な気がしますが、ましてや批判的な言葉は心を傷つけます。友人をほめる言葉は本人のいないところで他人にどれだけ言ってもいいですが、批判する言葉は絶対言わないと心に決めておきましょう。

友人、知人たちも完全な人たちではありませんから、時には失敗もするし、間違うときもあります。しかしそれを、本人も失敗したなと分かっているときに、さらに追い討ちをかけるように批判したり、批評する必要はありません。失敗し、落胆しているときに後から「私も危険だと思っていたのよ、もっと慎重に多くの人の話を聞くべきだったわね」と言われてもどうしようもありません。ましてや「もうあの人もおしまいね」と第三者に言っていたと聞くと、心が冷える思いをします。「そういう人を私は信頼していたのだ」と落ち込んで人生への自信がなくなってしまいます。

友人と信じて付き合っていた相手のことが、どうしても嫌だ、耐えられないと思ったら、当人にその理由を述べたり、批判して改めさせようと思ったりしないで、少しずつ遠ざかっていけばよいのです。同級生とか、同僚とか、いつも顔を合わせなければならない間柄でも少しずつ一緒にいる時間は減らしていく……。大騒ぎしてきっぱりと別れるのではなく、気がついたらいつの間にか遠ざかっていた。なにか恋人と別れるときと同じですが、明確なピリオドを打つのでなくフェードアウト、いつの間にか疎遠になっていたというのが一番品格のある別れ方だと思います。

感謝はすぐに表す

ありがたい、うれしいと思うことがあったら、それはすぐに表現しましょう。言葉に出し、態度に示し、精いっぱいの笑顔で感謝の気持ちを伝えましょう。プレゼントをもらったり、贈り物をもらったらすぐに開け、その場で感謝を表します。もらったばかりのものを開けるのは失礼だと遠慮する必要はありません。喜ぶ顔が最大のお礼です。

お招きしてもらった、いい推薦をしてもらった、何かのいい仕事を与えられたときもすぐに感謝の気持ちを伝えましょう。うれしがると安っぽく見られるから重々しく見せようなどと気持ちを抑える必要はまったくありません。怒りや腹立ちのようなネガティブな感情は一呼吸おき、クールダウンさせなければなりませんが、喜びや感謝のようなポジティブな気持ちは熱いうちに素直に表現しましょう。

とりわけ人が親切にしてくれた、仕事の上で力を貸してくれた、誰かを紹介してくれた、とても役に立つアドバイスをもらったというときは、いかにそれがありがたかったかを相手に伝えましょう。相手に直接伝えるだけでなく、相手にとって大事な人に、「この前、Aさんからいいアドバイスをしていただいて感謝しています」と伝えるのも直接言う以上に感謝の気持ちが伝わります。

親切にしてくれた相手にとって、感謝されることは、自分のしたことが役に立ち喜ばれていると知ることは、気分をよくし、誇りを感じ、さらに相手に親切にしようという気分にさせます。

ただその場では大げさなくらい感謝を表しても、それでおしまいとフォローしないのはいかにも軽薄です。あらためて丁寧な礼状を書いたり、次に会ったときにはもう一度お礼を言うようにしましょう。とくに忘れてはならない親切を受けたとき、いいアドバイスを受けたときは、それをメモしておきましょう。人間はともすれば自分が世話をしたこと、親切にしたことは覚えているのですが、世話になったこと、親切にしてもらったことはあまり覚えていません。貸したお金は覚えているが、借りたお金は覚えていないという人は多いのです。そうならないように気をつけましょう。

自分がバカにされたとか、侮辱や、悔しさ、裏切りなどの嫌な記憶は、できるだけ忘れたほうがいいですが、そういう嫌な記憶はなかなか忘れることができません。それでは人生が暗くなります。明るく、感謝に満ちた人生を送る秘訣は、受けた親切や助けを忘れないことです。私も親切にされたり、助けてもらった記憶は、すぐに忘れないように感謝のサンキューブックをつけていたことがあります。Aさんからこんな言葉で励まされた、Bさんからこんないい仕事を紹介してもらった。Cさんから自分の仕事を評価してもらった。それを見るだけで、自分は独りで生きてきたのではない、こんなに多くの人に愛され助けられてきたのだと実感します。その感謝が自分も人にいい言葉をかける人間、役に立てる人間になろうという気持ちにさせてくれます。

第六章 品格のある行動

よいことは隠れてする

最近はボランティアが注目されています。企業の社会的貢献や社会的責任も強調されるようになってきました。個人も企業も社会の一員、その社会が続いていくためにそれぞれができる範囲でできるだけのことをするのはすばらしいことです。日本の企業もお金をもうけるだけでなく、こうした社会貢献活動が企業イメージを上げ、企業の品格を上げることにやっと気がついてきました。

日本ではキリスト教のバックがないからボランティアは根づかないと言われていたのですが、一九九五年の阪神淡路大震災を機にすっかり定着しました。また各地でＮＰＯが作られさまざまな活動をしています。主婦や学生だけでなく社会人でもボランティアをする人が増えました。近いうちに日本でも本業の世界で成功しているだけでなく、社会に役立つ活動をしているかどうかが重視される社会がくるでしょう。同時に多くの人が普通にボランティアを行うようになると、それが特別立派な行いとして尊敬の目で見られることはなくなります。

品格のある人は何気なく当たり前のこととして善行を行い、特に自慢してはいません。よいことをしていても自分で自慢するとたんに品格が落ちて、自慢したくてやっているのか、売名だろうと思われてしまいます。目立つように派手に善行をつむのは、一種の広報活動であり企業イメージを上げるため、ビジネスの世界ではやむをえませんが、プライベートな場ではひっそり、しかし息長く行うほうが、みんなに感動を与えます。隠れてというのは、こそこそやるということではなく、大げさにせず自慢、宣伝をしないことです。徳という言葉は、もともと報酬を期待しない善行のことをいいます。

ボランティアにかぎらず、よいことは隠れて行い、自慢や宣伝をしないほうが奥ゆかしく、その人の品位を高めます。仏教のエッセンスを集めた『修証義《しゆしようぎ》』という本の一節に「面《むか》いて愛語を聞くは面《おもて》を喜ばしめ、心を楽しくす、面《むか》わずして愛語を聞くは肝に銘じ魂に銘ず」とあります。相手に対する愛に満ちた言葉は面と向かって直接聞くよりは、間接的に人づてに聞くほうが、心を動かし感動を与えるということです。

自分の努力を吹聴する必要はありません。英語の勉強、大学院に入学するための受験勉強、ピアノの稽古、スポーツの稽古、なんでも成果が出るには時間がかかります。特別才能に恵まれている人もいますが、それは例外で多くの人は努力して多くの知識や技能を身につけているのです。そうした目に見えない努力を肩肘はらずきちんとできるかどうかで、人間の格が決まります。「私はこんなに勉強をしているの。えらいでしょう」「勉強していて忙しい忙しい」「私は○○も習っている××も練習している」などと言いふらさないで、何気なく涼しい顔をしながら実は努力を重ねているというのが一番品格があります。

湖に浮かぶ白鳥はすいすいと自然に浮かんでいるように見えますが、水面下では必死で水かきをしています。努力を見せびらかさないから美しいのです。自分はそこまでできないから、やるやると宣言して途中でやめられない立場に自分を追い込むことで勉強を続けるという効果的な生活の知恵もありますが。

人の見ていないところで努力する

人間の才能にはいろいろなものがありますが、こつこつと根気づよくあきらめず努力できる才能は、一番人生で大事な才能の一つかもしれません。「やるぞ」と決心してはじめたことは、途中で情熱がなくなっても、思ったほどうまくいかなくても、諦めないで最後までやり遂げましょう。「やりたいな」と「やるぞ」とは大違いです。あれもいいわね、これも捨てがたいと目移りしていると何もできません。

通信教育で資格を取ろうと決心して、始める人は多いのですが、最後までやりとおす人は一〇％もいないそうです。いろいろな楽器が弾けたらいいなと思うのですが、楽しめるようになるまでには退屈な練習に耐えなければなりません。語学もそうです。子どもの場合は本人が好きではないのに親が強制するとうまくいかないことが多いようですが、自分で決心して始めたことは最後までやり遂げましょう。途中で投げ出していては何もモノにならないでしょう。

勉強だけでなく仕事もそうです。引き受けた仕事、約束した仕事は全力を尽くして立派に成し遂げる。どんなにつまらない仕事、下積みで外の人に認められない仕事でも、途中で諦めたり、手抜きをしない。これが仕事で品格をもって成功する秘訣です。目の前の仕事を全力でやらないとチャンスを逃します。「いくらやっても認めてもらえない仕事だ」「自分に向かない仕事だ」「こんなつまらないことを引き受けるのではなかった」と全力投球でない仕事をしている人は、おそらく一生自分にぴったりの仕事にはめぐり合わないでしょう。仕事ぶりはいつだれがみているかわかりません。今いるところでいい仕事をするから認められるのです。ゴマスリ、自己アピール、要領などでのりきれるほど職場は甘くありません。

豊臣秀吉は草履取りのときはその仕事を立派に行うように最大の工夫をしました。だから、次の仕事が与えられたのです。そのためには愚痴を言わず、人の見ていないところでこつこつと努力しなければなりません。昔、私の部下でいつも要領よく仕事を片づけ、夜の会合にもマメに付き合っている人がいましたが、彼女は人が出勤しない土曜日に出勤したり、電話のかかってこない朝に仕事を片づけていました。

見られているところで頑張る人は多いのですが、人の見ていないところでどれだけできるか、手抜きをしないかが品格のある仕事に結びつきます。上司がいるところでだけ頑張ってみせる、目立たないところでごまかす（そういえば耐震構造設計をごまかした一級建築士もいました）、お客の苦情をいい加減に扱う、自分でもよく理解していないのに何とかなるだろうと調べもしない、こうしたやり方では品格のある仕事はできませんし、人間としての品格に関わります。日本の企業の品格、日本人の品格を高めてきたのは、けっしていい加減な仕事で妥協しない職人さんたちであり、正直に仕事を積み重ねてきた無名の人たちです。有名になろう、報酬をもらおうというためでなく、プロフェッショナルとして最善を尽くすまじめさが、品格ある仕事をもたらします。

社会に進出した女性たちが職場の管理職に就き、政策決定に参加するのももちろん大切ですが、それと同時に、品格のある仕事をすることで人間としての品格を高めたいものです。

独りのときを美しく過ごす

私たちは人目があるとき、特に知っている人の前では、それなりに服装も整え、みっともないことをしないように気をつけようとします。モデルさんでもタレントさんでも、人目にさらされていると洗練され、美しくなってきます。逆に引退した女優さんやタレントがいつの間にか輝きを失っていくのは、人目にさらされる緊張感がなくなるからです。仕事をしつづけている女性に比べて、家庭にいる女性たちが緊張感を持ちつづけ、美しく過ごすことは至難の技で本人の努力を必要とします。

私の専業主婦の友人の緊張感を保つ秘訣は時間割です。一日家にいても掃除は何時から何時、今日はこの本を読み、手紙を書き、電話をかけ、ヨガをして、としなければならないことを書き出して、それによって、きびきびと行動します。そのなかから放送大学で単位も取っています。タイムリミットがないとだらだらしてしまうから、自分でタイムリミットを決めて生活しているのです。

その際に気をつけなければならないのは優先順位の高いものを優先させることです。世の中にはやったほうがよいけれど、やらなくても事の本質に関わらないことがたくさんあります。そうした重要ではない些事に時間を費やしているうちに、本当に大事なことをする時間がなくなってしまうことがないように、自分にとって何が重要か、ときどき生活時間を点検し見直しましょう。

独りの料理や独りの食事を楽しむためにルールを決めてはどうでしょうか。たとえで き合いのお惣菜を買ってきても、必ず器は自分のものに移して食べる。ポリ容器から直接食べるのは美しくありません。レタスでもトマトでも、ちょっと野菜を添えれば彩りも綺麗になります。伊勢物語でも男が覗き見をしているのを知らず、おひつから直接ご飯を食べて愛を失う女性が描かれていました。「いただきます」と手を合わせてから食べる。これは料理を作ってくれた人に対する感謝だけでなく、美味しくいただける自分の健康に対する感謝でもあります。食物の命をいただく、動物や食物の粋をいただいて自分の体を養うのだと自覚することにもなります。アメリカでも私のホストファミリーは、敬虔なカトリック教徒で、食前に感謝の祈りをささげていましたが、とてもいいなと思いました。

また誰も見ていないからと外見にかまわないのは女性としての自殺行為です。朝起きたらへアバンドや、ゴムできりりと結ぶにしても、髪の毛はきちんとしましょう。アイメーキャップだけはするとか、口紅だけはつけるとか、その人なりの方針でいいでしょうが、急に誰かが訪ねてきても慌てない程度の装いは大事です。ロングスカートや肩出しルックなど家でしか楽しめない服装をするのも素敵です。また少し型が古くなったブラウスやセーターは、どんどん普段着にして、汚れたらリサイクルや、使い捨て雑巾にして回転させましょう。また家のなかにも全身の映る鏡を置いて、見苦しい格好をしていないかチェックする緊張感をもちつづけたいものです。

目の前の仕事にふり回されない

忙しいことは「自分がもてるあかし」「自分が重要人物のあかし」と思って、「忙しい、忙しい」と口癖にしている人がいます。また女性のなかには職場で重要な役についていなくても、重要な仕事をしているとアピールするために、「忙しい、忙しい」という人もいます。もちろん、忙しがるのではなくて、本当に忙しい人もたくさんいます。多くの職場はリストラで人数は減らされているのに仕事量は減らず、一人一人の仕事は増えていますから、仕事に振り回されている人は多いでしょう。しかしそれでも工夫次第で仕事をコントロールすることはできます。仕事に追い回されていると、品格のある生活はできませんし、本当にいい仕事もできません。

仕事が多すぎて毎晩深夜までかかる、土曜日曜も休めないという時期が慢性的に続くなら工夫が必要です。第一の工夫は、誰か別の人に仕事を分担してもらうことです。自分がしないとこの仕事は誰もできないと思い込んでいるかもしれませんが、部下や後輩、パートの人でも誰にでもやってもらうのです。はじめは教える手間がかかって自分でやったほうがよほど早いと思うでしょうが、少し我慢していると、自分の自由になる時間が増えているのに気がつきます。不思議なことに、しばしば仕事を抱え込んで大変な思いをしているときより、人にまかせるほうが「あの人は後継者を育てている」と評価されます。他の人に仕事を回したら自分が職場でいらなくなる？　そんな理由で忙しがっていてはいけません。自由になった時間で他の人ができない仕事をするのです。余力がないと新しい仕事はできません。仕事にふり回されている時は見えない全体の動きが見えます。

働く人数が少なくて物理的に仕事があふれているなら、まず人数を増やすように上司に求めなければなりません。正社員が無理なら派遣かパートの人、それも毎日が無理なら週三回でも二回でもと頼みましょう。次に必要なのは、仕事を減らすことです。本当にどうしてもこの仕事はやらなければならないか、たとえば校正は印刷業者に頼めないか、毎週している打ち合わせを二週に一回にしてはどうか、傍聴している会議は議事録をもらうことで済ませられるかなど、検討する余地はあるものです。

あるいは、自分の段取りが悪くて仕事がはかどらないのかもしれません。仕事の進行表を作ってまず何から手をつけるか決めましょう。優先順位の高いこと、重要なことからはじめて、あとは時間があったときに回すように仕分けすると、精神衛生はかなりよくなります。忙しがっている人のうちかなりの人は、重要ではない仕事に時間を割き、重要なことをする時間がなくなって忙しがっているのです。重要な仕事を処理したあとの時間でこまごまとしたことを処理する。あるいは人と待ちあわせたホテルのロビーや駅や空港の待時間のような隙間の時間に片づけます。理想は週のうち半日ぐらい何もスケジュールの入っていない日を作って、処理しきれなかったこまごました仕事を処理できるようにします。こまごました仕事はたとえ処理できなくても、大勢に影響はないはずです。

特にリーダー的立場にたったら、自分だけでなくチーム全体の仕事ぶりや進行に目配りするゆとりが必要です。私の今まで仕事をしてきた経験でも、一番有能だったある部下はいつもは暇そうにしていました。みんなに仕事を分担させ、自分はそれをサポートしたり、アドバイスしていました。そして大きな新しい仕事が飛び込んでくると、率先してそれを引き受けていました。そういう人がいるとチームは全体としてとてもいい仕事ができました。

役不足をいやがらない

一生懸命とりくんだ仕事の成果を評価してもらうのはうれしいことです。

自分が思っているほどには他人から評価されなくて、落胆することが現実に多々あります。職場でも学校でも友だちグループのなかでも、自分にふさわしいと思う役割が与えられなくて、内心役不足だなと思う役を与えられることもあります。どうしても納得できなければ引き受けず、はっきりと断るべきです。でも多くの場合、自分には役不足と思うような役でも、楽しくなさそうな役でも、やってみると別の世界が広がり、新しい経験ができるものです。

とりわけ本職ではないボランティアの団体、自治会、同窓会、学会、趣味の会などの役職は、自分から会長や委員長のような役職に就こうとしなくても、与えられた役に就いて余力をもって役割をこなしていればよいのです。本当に役不足の役を不満も言わずきちんと務めていれば、奥ゆかしいですし、自分も気楽です。あらゆる場で認められよう、目立とうと張り切っている人は、人間の格が上がるどころか、目立ちたがり屋、自分の売り込みに長けた人と思われるだけです。自分のためでなく人のために働ける人を徳のある人といいます。アメリカの教会のボランティアなどの活動で立派な社長さんが、引退したおじさんリーダーの指示に従って、目立たない仕事を黙々とこなしているのを見ますが、なかなかいいものです。

自分は女王様だ、誰にも負けたくない、どんな場でも誰にでも尊敬されよう、誰にでも好かれよう、いつでも尊重されないと気がすまない、と思っていると人間にゆとりがなくなります。時には華やかな光が当たらない縁の下の力持ちの役職を、気持ちよく引き受けることでそうした仕事をする人の気持ちも理解できます。

自分が本当に重きを置いている世界、大事にしている分野では妥協してはなりませんが、ボランティアや趣味などのプラスアルファの世界では軽やかに振舞いましょう。いつもいつも自尊心や名誉心を振り回していると、少しでも軽んじられると心が傷つきます。根幹となる部分は譲れなくても、枝葉の部分や花の部分は誰かに譲ってもまた生えてきます。誰かに譲ったら次はあなたにとなるかもしれません。他人に花をもたせてあげる余裕が品格をもたらします。

そうかといって、いろいろな役職を気持ちよく引き受けていると、次々と役職を頼まれてしまい、本来の仕事ができない、自分の時間が取れないということになって困ります（実はこうした役職は忙しい人に集まる傾向があります）。自分の仕事や家族の状況、そして自分の体力や能力も考慮して、一時期に引き受ける役職は二つとか三つに限定して、それ以上はどんなに残念でも断りましょう。忙しすぎると文字どおり心が失われます。名士、名士夫人のなかには、肩書きハンターのようにいろいろな役職を引き受けて、実はまったく働いていない人もいますが、そうした手抜きは人間としての品格を疑わせます。

あくまでプラスアルファの世界なのだと割り切って、肩書きにこだわらず本職以外の場を楽しみましょう。

私生活のゆとり

職場でと同じように、私生活でもゆとりが必要です。職場のようにチームの誰かや部下に仕事を分担してもらうわけにはいきませんから、自分で自分の仕事の総量をコントロールしなければなりません。

まず何もかもはできないとあきらめることです。仕事をバリバリこなして、家族の世話も百パーセントこなし、友人の付き合いもマメにこなし、教養を身につけ、美味しいものを食べ、おしゃれをし、旅行をし……できるといいなと思うことは人生に山ほどあります。しかしそのすべてができるわけではありません。少なくとも、同時にすべてを手に入れることはできません。すべてをすることができないのであれば、できることとできないことを選ばなければなりません。選ぶには基準が必要です。

職業をもっていたら最優先は仕事です。私もそうしてきました。でも子どもを妊娠してから二、三歳までは他の時期より子どもや家庭の優先順位が高くなります。子どもが熱を出した、重要な会議がある、どちらを選択しようかと迷い悩むことは多々ありました。私たちの時代の職場は、働く母親に温かくありませんでしたが、今は育児休業の取得が奨励され、かなり変わりました。それだけに、「子育て中です」というのを錦の御旗にして、仕事も手抜き、付き合いもまったく顔を出さないというのはいきすぎで、ゆとりがありません。

私はゴルフもせず、カラオケも下手、ダンスもできません。こうしたことができたら楽しいだろうと思いますが、私にとって家族や仕事の優先順位がゴルフより高かったので、練習もせず上達しなかったのは仕方がありません。子どもが学校へ行くと家族の世話はかなり楽になり、公務員を退職すると仕事にもゆとりが出てきました。それで公益団体の役員になったり、リーダーシップ111という女性のグループの代表を引き受けたりしています。それも声のかかったもののすべてではなく、自分が賛同したものだけに限っています。声をかけてくださるのはありがたく、きっと引き受ければ得るところも多いでしょうが、十分貢献できないものは引き受けないようにしています。

このほかにも昔の職場の仲間と会ったり、友人たちと会ったり、同窓会や趣味の会などたくさんの会から声がかかります。みなそれぞれに楽しくいい出会いがある会でもあるのですが、そのすべてに顔を出すのは不可能ですし、どうしても自分が出席する会は選ばなければなりません。そのときは、たくさんの人が集まるパーティーはどんなに華やかでＶＩＰが来るかもしれませんが優先順位は低くなります。優先順位が高いのは、自分が世話役や、自分がスピーチを頼まれている小さな集まりです。委任状で用がすむ会合は欠席し、代理のきく会は代理にお願いします。どうしても自分が出たい、出なければならない会合は何かと考えて整理すると、少しはゆとりが生まれます。

働いている女性でも、家事をすべてするのが自分の務めと考えている人がいます。すべてを一人で引き受けないで、できるだけ皿洗い機、全自動乾燥機つき洗濯機、電子レンジなどの設備投資をしましょう。外での家族そろっての食事も利用しましょう。またどうしても忙しいとき、疲れているときは家政婦さんを頼んだり、掃除の専門サービスを利用するのに罪悪感はいりません。お金で時間を買うのだと割り切ってゆとりをもちましょう。

頼まれたことは気持ちよくするか、丁寧に断る

自分で気が進まなくとも、難しいポスト、人気のないポストに就かなければならないときがあります。仕事をしていない場合でも、会合の世話役・幹事、ＰＴＡや自治会の役員などをいろいろな事情で引き受けなければならない場面があります。どんなに頼まれてもけっして引き受けないという意志堅固な人もいますが、無理のない範囲で引き受けるのが社会人の務めでしょう。

引き受けた以上は、いやいややらないことです。どうせ一年なり二年なり、ある期間やらなければならない以上は気持ちよく行いましょう。引き受けはしたのだけれど嫌だな嫌だなと思いながらその役をしていると、いい成果が挙がらないだけでなく、周りの人にもその「嫌だなウイルス」を撒き散らして不愉快にしてしまいますし、何より自分

が楽しくありません。自分の貴重な時間とエネルギーを使わなければならないのなら、気持ちよく使いましょう。

その役が今まで経験がない、不得意で苦手なものでも（だから引き受けたくなかったのでしょうが）、やってみれば面白いかもしれませんし、意外と自分の苦手意識が根拠のないものだと分かるかもしれません。私も、自分の知らなかった能力を発見したのは自分が希望していないポストに就いたときでした。

幹事のような世話役を引き受けると、お店の交渉や、進行役、会費の徴収などで人の意外な面を発見するかもしれません。自分が知らなかった人と出会う機会も増えるでしょう。出会った人のみんながみんな魅力的な人でなくても、一人か二人はいい人がいるかもしれません。こちらが「嫌だなウイルス」を撒き散らしていると、相手に伝わりそばにいるいい人とのせっかくの出会いが生かせません。

また一回かぎりの頼まれごとでも、できるときはできるだけ引き受けましょう。自分を見込んで頼まれたことを気持ちよく行えば、その人から感謝されます。だからといってお返しを求めていてはいけませんが。

その際も引き受けた以上は不満や嫌味をぶつぶつ言わず、気持ちよくやりましょう。恩着せがましくいやいややると、せっかく尽力しても感謝されるどころか、かえって人間関係を壊してしまいます。ガールスカウトの役員をしていた方のモットーに、「レイトヘルプ　イズ　ノーヘルプ」（遅い助けは助けにならない）というものがありました。そのとき必要だから頼んだのに、「そのうちに」とほうっておいて、タイミングがずれてから助けてもらっても、ありがたみがないという意味です。たしかにそのとおりです。助ける以上は助けになるように、引き受けた頼まれごとはできるだけすぐに手をつけましょう。

またどうしても時間の余裕がないとき、頼まれたことがまったく自分の力を超えているとき、あまり関わりになってはいけないことがらと思うときは、明確にはっきりと、しかし申しわけないという気持ちを込めて丁寧に断りましょう。

縁の下の力持ちを厭わない

自分が主催者になる会合とゲストで参加する会合は、気の遣い方、エネルギーの使い方がまったく違います。仕事のときも仕事以外のときも表舞台でスポットライトを浴びている人より裏方の人が、実質的にはその会を支え、運営している実力者なのです。たとえは悪いですが、お座敷の芸者さんと女将《おかみ》さんの関係といえばよいでしょうか。女将さんはプロデューサーとして各方面に気配り、目配りをします。

女性も人脈づくりが大事、ネットワークを作ろうといろいろなところで強調されていますが、ネットワークを作るには裏方の仕事をするのが一番の近道です。お客さんではなく主催者になるつもりで、参加者を募り、会場を手配し、企画や進行の手はずを整えましょう。同期会でも勉強会でも幹事役は面倒だとみな引き受けたがりませんが、そうした労多く表に出ない仕事をしていると、自己宣伝をしなくても一目おかれ頼りにされる人間になっていきます。

人は人にひかれて集まってきますから、魅力的な出席者に手紙やメールだけでなく、ひとこと電話で出席を確認するとか、参加者同士の会話が弾むように組み合わせを考えましょう。こうしたプライベートな場だけでなく、仕事の場でも家庭でも、表に出ないでもやるべきことをきちんとこなす人が一番重要なのです。企業が成功する陰には、現場で与えられた仕事や義務をきっちりと果たし、少しでもよいものを作ろうと改善を続けた人々がいたからです。

個人のリーダーシップの発揮が強調されるようになり、個性ある企業家や政治家も出てきましたが、一方でカネボウやライブドアの粉飾決算、耐震構造偽装事件、雪印や三菱自動車のような企業の犯罪も多くなってきています。これは手抜きやごまかしや悪いことを許さない現場の職人気質が崩壊しているためではないかと憂慮されています。

最近は女性も社会のいろいろな場に進出しています。女性が職場に進出することはとても重要ですが、男女を問わず、職場や職業の多くは華やかであるより地味であり、縁の下の力持ち的な役割が期待されます。そのなかでしっかりなすべきことをなす、与えられた仕事にベストを尽くす、いい加減な手抜きをしない、少しでもよいものやサービスを提供しようと努力することが、職業人として一番重要なことです。

NHKの『プロジェクトX』はこうした無名の職業人の奮闘を描いて感動を呼びましたが、「おじさん番組」といわれるほど男性が多く取り上げられて女性はほんの少しでした。

女性も職業人になるということは、こうした無名のしかし重要欠くべからざる存在になるということです。そうした職業人としての品格は職業を通じて身についていきます。

日本の女性たちは従来家庭のなかで家族を支える家事や育児、介護なども重要だけれど経済的にも社会的にも十分には報われない仕事を一生懸命してきました。だから女性は家庭の実力者でした。周囲も品格ある家庭の女性実力者を「女将さん」とか「刀自《とじ》」と呼んで敬意を払いました。これからは女性が数多く職場に進出していきますが、多くの女性は職場でも裏方の仕事を引き受けていかなければならないでしょう。そのなかで品格ある女性の職業人が育つと信じています。

時間を守る

約束の時間の五分前に着くようにすることは、品格ある生活を送る秘訣といっても過言ではありません。時間厳守は最高のマナーです。約束の時間より前に着くと、相手を大事に思っているということを言葉に出さなくても表現できます。相手が少し遅れてきたら、こちらは優位に立って相手をいたわることもできます。松下幸之助さんのように仕事で成功された方でも、約束の時間の五分前どころか十分前、二十分前に着くよう心がけておられたといいます。忙しくて時間に遅れるほうがひっぱりだこの重要人物のように思われると思ったら大間違いです。忙しい人ほど、時間を守っているのは洋の東西を問わない現実です。時間を守る人ほど信用され成功しているのも古今の鉄則です。

時間がないと心にゆとりがなくなります。私も約束の時間に遅れそうになって、電車の時間をイライラしながら待っている姿は、品格ある女性とは程遠いと自己反省することが多いのですが、時間に遅れそうになってハラハラしているのは自分の精神衛生にも悪く、周囲にも配慮を欠き、事故や忘れ物にも繫がります。約束の時間に余裕をもって行動していると、電車の連絡の悪さ、タクシーの渋滞にもゆとりをもって接することができますし、移動の際の町の光景を楽しむ余裕が生まれます。

どうしたら約束の時間を守れるか、五分前に着けるか。私もいろいろ工夫しました。腕時計の時間を五分早く進めておく（これは慣れると効果がなくなります）。移動の時間を長めに見込む（最近はインターネットで乗り継ぎ時間が分かるので本当にありがたいです）。

できるだけ車は使わないで時間が読める公共交通機関を使う（地方で交通量が少なく、公共交通機関が発達していないところは車が頼りですが）。毎朝必ずその日の予定を手帳でチェックして、その日の予定のシミュレーションをする（できれば時間に厳しい秘書の人がいるといいのですが）。仕事に夢中で予定の時間が過ぎないようアラームをセットしておく（セットするのを忘れては話になりませんが）。

一番重要なのは、予定を立てるときに楽観的な時間配分をしないことです。私が一番遅れる原因と反省しているのは、三十分で終わるはずの打ち合わせが五十分、六十分と延びることです。はじめから終わる時間を確認して、余裕のある日程を組まなければなりません。次は準備を前もってしっかりしておくことです。出ようと思ってから確認して、足りない資料に気がつき時間に遅れてしまったり、着ていく服に合うアクセサリーを用意していなかったり、はいてみたらナイロンストッキングが伝線していたということがないように、準備は余裕をもって整えましょう。前日の夜に五分間とって明日の予定を手帳で確認し、段取りをつけるだけでも効果があります。三番目は、出かけようとしているまぎわに侵入してくる電話や打ち合わせなどをシャットアウトすることです。

心を強くもって「後で……」と断りましょう。
自分の癖を見極め、絶対時間を守るのだと強い決意でスケジュール管理をしてください。

ユーモアを解する

品格がある女性というのは重々しく気取っている、つんと澄ましているというイメージがあるかもしれませんが、まったくその逆です。もったいぶったり、重々しくえらそうに振舞ったりするのは下品なことです。本当に品格のある女性は、自然で明るくわざとらしさがありません。品格の重要な要件の一つは、ユーモアが分かることではないかと思います。私は平安朝の歴史や文学が好きですが、そのなかでも『源氏物語』とならんで『枕草子』が大好きです。

なかでも感動的なのは、悲運のなかで定子皇后が常に明るく「おかし」と清少納言の才知を楽しまれていたことです。道長方に圧迫されて乳母や近臣からも見捨てられ、不如意なことと情けないことも多かったはずですが、そうした影は『枕草子』にはまったく感じられません。清少納言が負けず嫌いで、つらいことと悲しいことを書かなかったからだという説もありますが、定子皇后がどんな境遇にあっても、ユーモアを解し周囲への思いやりにあふれたすばらしい女性だったからに違いありません。

ユーモアが分かるというのは心に余裕があるからです。自分は運が悪い、悲しい、悔しいという思いにとらわれていると、人の心の温かさも、自然の美しさも味わう心のゆとりがなくなります。自分が落ち込んでいては、自分の周りの人たちが頼りなく情けない思いをするという責任感や、惨めな自分を見せたくないという負けじ魂も必要ですが、なにより物事の些細なおかしみを楽しむ明るい心が必要です。

些細なことを面白がる、小さな発見の意外性や驚きを楽しむ、むきにならないでとぼけた味をだす。愚痴を言わないことと通じる心意気が、ユーモアを楽しむ気持ちに繋がります。最近「武士道」がもてはやされていますが、江戸時代の武士たちの真面目で、誇りをもち、信義を重んじるところはとてもすばらしいのですが、生真面目すぎてユーモアに欠けるところは大きな欠点です。紳士道と武士道の大きな違いでしょう。イギリスの紳士のたしなみは自分を笑いものにするユーモアです。日本の江戸時代も町人たちのほうが、落語などで見るかぎり、ユーモアを解したようです。

「粋《いき》」とか色っぽいという魅力も、自分にとらわれ、既製の価値観にがんじがらめになっていないで、突きぬけた軽やかさから生まれます。粋や色っぽさは品格の対極にあるように思われがちですが、媚を売るのではなく、自分の心の主人公は自分という点で共通するところが多々あるのです。自分がある時代のある両親の下に、ある程度の才能と健康・身体条件をもって生まれてきたという事実を受け入れる。特定の境遇に生まれ特定の運命のなかで生きることを納得できれば、どろどろくどくど悶々という気分にとらわれず、その境遇を受け入れ楽しめます。

上手くたちまわった他人の成功をうらやんで嫉妬にとらわれることなく「自分は自分」と考えましょう。笑いはNK細胞（ナチュラルキラー細胞）を活性化し免疫力を高めてくれるそうです。スピーチにちりばめる笑い話や、ユーモアあるエピソードを、ふだんから集めておきましょう。

意識して人を笑わせ自分も笑いましょう。

第七章 品格のある生き方

愛されるより愛する女性になる

「年をとったらかわいいおばあちゃんになりたい」という願望をもつ女性がたくさんいます。

日本では男女平等が憲法で保障される前の女性の地位は低いものでしたが、母親、特に家長の母親は家族全体から重んじられ、お嫁さんにも威張っていました。お姑さんにいじめられたお嫁さんもたくさんいました。年を取るとがんこになり敬遠される例が多かったので、物分かりがよくて若い人からも好かれるおばあさんになりたいという希望をもつ女性が増えているのでしょう。

女性は若いときから、友だちに愛されたい、男性からも愛されて幸せな結婚をしたい、子どもからも愛されたいというように、愛されることが幸せと思いがちでした。たしかに自分も好きな友だちや異性から愛してもらえるのはとても幸せなことです。でも自分がそれほど好きでない男性から愛されても、そううれしくありません。相手が自分を好きになってくれるかどうかは相手次第です。「過去と他人は変えられないが、自分と未来は変えられる」というとおり、人の気持ちは自分でコントロールするのは難しいものです（それだけにたまたま自分を愛してくれる人には感謝すべきですが）。

それより女性はできるだけ周囲の人たちを愛しましょう。長所や美点を見つけて感心しましょう。独占しようとしたり、自分の都合を押しつければ嫌われますが、ほどほどの距離を保った上で好意をもって温かく見守ってあげましょう。そのうえで相手のよいところを見つけてほめてあげたり、必要としている助けをさしのべるようにします。愛する相手の範囲は家族だけでなく、職場の後輩、趣味の仲間、近所の子どもたちにも広げましょう。自分の子どもをどれだけ一生懸命世話しても当然と思われますが、家族以外の人を少し気にかけてあげるととても喜ばれます。お誕生日のプレゼント出産のお祝いもいいでしょう。

男性と女性を比較すると、女性は他の人とのコミュニケーションや気持ちの交流を重んじ、男性は勝ち負けにこだわり、権力行使に関心があるとされています。もちろんこれは平均値の話で個人差は大きく、男性でも後輩や弱い人の面倒をよく見てくれる人もいます。ビジネスの世界で成功する生き方も権力志向ばかりでなく、人との関係を建設的につむいでいくほうが、長い目で見て成功するということも理解されるようになってきました。

自分ができるかぎりの人助けをしていると、いつの間にかそれが別の形で返ってきます。「情けは人のためならず」ということわざどおり、他の人を愛し助けているうちに、いつの間にか他の人から愛され、助けられるようになるのです。ビジネスの世界でも、「他利をはかる」ほうが、自分の利益だけ追わないほうが、大きな利益につながるといわれます。その活動範囲をもっと広げるとボランティア活動になります。アメリカは自由競争の格差社会で、弱肉強食の社会だと言われますが、一方でボランティア活動も盛んです。私も貧乏な留学生としてアメリカにいたとき、お返しを期待しない善意に温かく支えられました。「自分が好きでしているのだから私へのお返しはしなくていい。いつか自分のできることで別な人を助けてくれればいいのよ」というボランティア精神は、アメリカ社会の魅力です。今でもたくさんの有能な若者があえて給料の低いＮＰＯの分野に飛び込んで活躍しています。経済的には報われなくても、そうした正義感によって行動している人が品格ある人であり、そうした人が多い社会が品格ある社会といえるのではないでしょうか。

恋はすぐに打ち明けない

恋のきわみは忍ぶ恋……などと言うと、今の若い人たちにはバカにされるでしょうか。フィーリングが合えばすぐに声をかけてデートに誘う、拒否されれば別の人を探せばいい。気の弱い男女は、相手が好きでもそれを言うことができず、振られるのを恐れて誘うこともできない。そんな人は不器用なやつと軽蔑されるだけで、「負け犬」の道まっしぐら。

結婚は親が決める、男女七歳にして席を同じうせず、などといわれた江戸時代や戦前と異なり、今の男性と女性は自由に付き合い自由に恋愛し、自由に結婚できることになっています。身分の差、家柄の差、年齢の差も昔のような障害にはなりません。親の反対も無力です。相手が結婚している場合でさえ、「愛」があれば離婚、再婚するのが可能ですから、『赤と黒』『アンナ・カレーニナ』など世界名作の大きな部分を占めてきた有夫の女性の恋（姦通）も迫力がなくなっています。

これだけ自由になりすぎると、大恋愛や純愛が成立するのは難しくなります。大恋愛も純愛も大きな障害やタブーがあればあるほど激しく燃え上がるからです（『世界の中心で、愛をさけぶ』などのベストセラーが、難病による恋人の死をテーマにしているのもそのためでしょう）。しかし好きならすぐに告白し、行動に移せばよいというのは、なんとも味気ないような気がします。

先日もある新聞に四十代の女性がパート先の若い男性に心ひかれ、気になって仕方がないという身の上相談が寄せられていました。それに対して有名な回答者が、「思い切って告白しなさい」とそそのかしていたのには驚きました。私なら、「人を好きになるのはとても素敵なことですが、それはあなたの心を温め、生き生きさせるだけで十分すばらしいのです。告白したとたんに夢は現実となり、多くの不幸とトラブルを生みます」と答えます。「家庭のある女性は恋などするな」とお説教する気はありませんが、この女性の場合、告白したら、相手から拒否されてもつらいですし、相手が受け入れてくれたらそれはそれで夫や子どもの心を傷つけるなど、美しくない現実の泥沼に踏み込むのが目に見えています。それより温かく遠くから見守り続けるほうが、ずっと大人の態度だと思います。

どんな恋の場合でも、まだ見ぬ片思いのほうが心ときめき、喜びは大きいものです。恋の寿命は四年という説もあります。目くるめくような恋、永遠の恋と誓った恋もいつの間にか情熱は薄れていきます。それだけに人々は結婚という制度を作り、情熱がなくなったあとも子育てを助けあい、いたわりあい、助け合うように取り決めたのかもしれません。どの宗教も聖職者には禁欲を、信者には節制を説いているのも、情欲に流される空しさを知るからでしょう。

恋愛が比較的自由だった平安時代でも人々は、まだ見ぬ恋、目くるめく恋、過ぎ去った恋までたくさんの恋歌を残していますが、千年たっても心をゆさぶる歌は、悲恋や片恋の思うままにならなかった歌です。小野小町や、和泉式部のような美しく多くの恋を体験したといわれる女性たちも会えない嘆き、別れた恋を惜しんでいます。恋は思うままにならないからこそ、やるせなく心を震わせるのです。

現代においても、忍ぶ恋、片思いの恋、思うに任せなかった恋が、女性を磨き、心のひだを深めるのではないでしょうか。

内助の功

バスや、地下鉄に乗っている人は品格がない、ハイヤーが欲しいが、せめてタクシーなどというサラリーマン管理職がいます。そんなつまらないことにこだわる男性も品がないですが、そうしたカッコをつける夫や恋人を「この人は重要人物なんだ」と尊敬する女性も品格が疑われます。会社にたかり、会社のお金を自分の私用に使う人を、「この人は権力がある」と女性が尊敬するのは間違いのもとです。男性はお金そのものだけでなく、権力の源としてまたあかしとしてだけでなく、女性にもてるためにもお金を欲しがる傾向があります。女性も自分がそれだけのお金をつぎ込まれると、自分に価値があるように思っていい気持ちになる人がいます。

日本でもアメリカでも企業のなかで昇進していくと、交際費や交通費などが使えるようになり、それが自分の成功のあかしのように思う人もいます。自分がぜいたくをするのが会社の品格を高める、このポストに就いたのだからその程度は許される、と他人（会社）にたかる行動は、その人の品格を低めます。私が尊敬するある大会社の社長さんは、自分の付き合いの費用は自分のポケットマネーで払っておられました。一方同じ時期、同業他社には会社のお金で親しい女性の経営する店で社用接待をしていた社長もいました。一事が万事で、身銭を切る社長は私心のない清潔な経営者として社員からも尊敬されていました。

ライブドアのホリエモン氏がもてはやされていた頃、彼が社用飛行機でタレントの女性とデートするなど、贅沢な暮らしをするのをうらやましがっていたマスコミも、いったん粉飾決算が問題になれば、そのお金の出所はどこだと批判します。オーナー社長でも会社のお金は自分のお金ではないのです。ましてやサラリーマン管理職が社用で動かすお金を自分の力だと誤解してはなりません。

しばしば大企業で重要な地位に就いていると自分がえらくなったように思って威張っていた人が、ポストから離れると無力な存在になってしまうのが見受けられます。女性でも夫や恋人が会社で昇進したりお金持ちになると、自分もいっしょに「えらくなった」ように思っている人がいます。しかしそれぞれの職業で成功するには、本人の能力だけでなく、運やめぐり合わせ、周囲の人たちの助けなど多くの要素が絡み合っています。妻の「内助の功」で夫が成功したというケースは、サラリーマンの場合とても稀です。

周りが、「将を射んと欲すればまず馬を射よ」とばかり、権力者の妻や恋人をちやほやするから悪いのですが、それに甘えて「○○さんは気がきくわ」「△△さんは人間ができている」と夫にささやいてはいけません。「会社でお世話になっています」「私は会社のことはわかりません」と徹底的に遠慮してでしゃばらない夫人が「内助」として尊敬されるのです。悲しいことに、しばしば夫のお陰でちやほやされていた女性は、パートナーの男性が力を失うと落胆するだけでなくバカにしてしまうことがあります。

会社のお金にたかる男性も品格がありませんが、それを自分のもののように思う女性はもっと品格がありません。現代社会において、「女性は男性の内助に徹しろ」「夫から一歩下がっていつも慎み深くしていろ」という古い女性観はもう通用しません。しかし夫の地位や力を自分のものと誤解して、でしゃばったり、会社の人事ややり方に口を挟んだりするのは間違いです。夫婦はよきパートナーとして支えあうのはプライベートな場面にとどめ、仕事の場では夫は夫、自分は自分とけじめをつける気持ちを忘れないのが品格ある女性です。ましてや夫やパートナーが不遇になったら、自分も不運な被害者のように思うような一心同体ぶりも行きすぎです。常に自分は自分、夫は夫です。

うわべに惑わされない

就職先を選ぶときに給料の金額で選ぶか、本社の場所で選ぶか、現在の収益力や株価で選ぶか、それとも企業の社会的姿勢や将来性や格で選ぶか。選択の基準はたくさんあります。前者は分かりやすく、二、三年勤めるだけならばその基準で選んでもいいでしょう。しかし長い目で選ぶときは後者が大事になります。長期の深い付き合いは、うわべに惑わされず判断しなければなりません。

人間を判断するときもいい大学を卒業していて、いい企業に勤め、収入が多く、見た目がかっこよければ「勝ち組」。とても能力がある人でも、人格者でも、いろいろなめぐり合わせで成功しない人は「負け組」とレッテルを貼るのはやめましょう。表面的な肩書きや地位で人を判断するのは浅はかなことです。「ワー社長さんなんだ」「東大出ですって」「あの××に勤めていらっしゃるんですか」とあこがれていると、「なんて単純な表面的なものの見方しかできないやつだろう」と思われてしまいます。東大出の人に東大出といってても喜ばれません。本人たちは東大を出てていろいろなやつがいるから、それだけで判断してほしくないと思っています。自分は東大出のなかでも特別な長所をもっていると自負しています。社長も一流企業社員も同じです。

テレビのワイドショーなどにはこうした一方的なものの見方があふれていますが、それを鵜呑みにするのはやめましょう。人間に対する判断だけでなく、いろいろな事件や、出来事についても、表面だけで単純に割りきるのは控えるべきです。ワイドショーはもちろん雑誌でも新聞でも、マスコミは一般に善か悪かで割り切る傾向があります。そのほうが分かりやすいからです。それをそのまま受け売りをしていては、教養のない人と思われます。

現実はいいことと悪いことが分かちがたく絡み合っています。悪人とレッテルを貼られている人でも実は不器用なだけでとても純粋な考えをもっている人もいます。ソフトな外見で人あたりがよくてもしたたかなやり手もいれば、誰にでもよく思われている人が、実は八方美人の気弱な人だったりします。人間や物事の本質を見抜くのはとても難しいことですが、マスコミや人の判断をそのまま受け売りするのだけはやめましょう。できるだけ本人が何をしてきたか何をしようとしているかを見て、自分で判断するように努めると、そのうち人の本質が見極められる目利きになり見識が備わり、品格が上がります。

現在はうわべで評価する人が多いので、うまく世渡りするにはどのようにうわべを取り繕うかというハウツー本が大流行です。第一印象はうわべで左右されます。だから形を整えるのは第一歩としてとても重要です。しかしそれだけでとどまっていると、目利きの人には「借り物だ」と見破られてしまいます。

就職の面接で、『面接の達人』というハウツー本が大当たりして、どの学生も同じような服装をし、同じような挨拶をし、同じような受け答えをしたという時期がありましたが、どれほど上手にうわべを取り繕っても、本で読んだのと同じでは迫力がありません。

どんな情報でも自分でいったん咀嚼《そしやく》して、自分にふさわしくアレンジしなければ、身につきませんし、人にはアピールしません。

うわべに惑わされず、うわべを見抜く人間になりましょう。

品格ある男性を育てる

男性を選び、育てるのは女性です。人間社会ではなんとなく男性が女性を選ぶように思っている人がいますが、それは表面的な見方です。自然界では、孔雀は派手派手しく目立つ羽をもっているオスほどメス孔雀に選ばれます。そうした雄が子孫を残せたので雄孔雀の羽はどんどん華やかになったといわれています。ライオンのたてがみやシカの角もそうです。こうしたオスは、生命力が強い遺伝子をもっているということをメスにアピールするために、実用にならない羽やたてがみや角を発達させたということです。

厳しい自然のなかで、哺乳類のメスは残せる子孫の数が限られているため、できるだけ生命力の強いオス、できるだけ自分の子育てを助けてくれるオス（この二つの資質は兼

ね備えるのがむずかしい）をパートナーとし、強く優秀な子孫を残したいと選択眼を磨き、選択に成功したメスだけが子孫を残せたのです。人間たちは農業や工業を発展させ、今は平和で豊かな時代になりました。警察やガードマンもいるので外敵から自分や子どもを守ってくれる腕っ節の強さをパートナーに求めなくてもよくなりました。でも女性が健康な子、優秀な子をもちたいと望み、また自分の子育てを助けてくれるパートナーを望むことは変わりません。

かつて男性の価値は狩や漁がうまく食料を確保する能力や、外敵から家族を守る戦闘力にありました。資本主義の社会では経済的に豊かで、頭脳明晰な（ように見える）経済的に安定した収入を得る可能性の高い男性を女性が望むようになっています。女性がお金をもつ男性をかっこいい、金持ち男性と結婚したいと望めば、男性たちはお金儲けに重きを置きます。最近はお金持ちだけでなく女性に優しい男性も人気ですが、やはり多くの若い女性は、現在お金があるか、将来お金持ちになりそうな学歴や資格をもつ男性を、いい恋人や結婚相手とみなしがちです。

もちろんイケメン風な外見やスポーツマン系を好きな人、話が面白くて楽しい人、セックスの相性を重視する人もいて好みはさまざまです。でも日本の社会を品格ある社会にするには、女性たちが男性の品格を見極める目をもち、品格のある男性を素敵だと思い、恋人や結婚相手として選ぶことがとても重要だと思います。いくら事業に成功していてお金があろうとも人格の卑しい男性、いくら学歴が高くて頭脳明晰でも思いやりに欠け、弱い立場の人を見下すような男性は、「嫌なやつ」と拒否する女性であってほしいものです。かつてお金で買われる立場だった吉原の花魁《おいらん》でも、いくらお金を積まれようと嫌な客は嫌だと振りました。それを尊重し、かっこいいとする美学がありました。

現在の自由な女性たちが、男性のお金や資産や「将来性」だけで恋愛や結婚の相手を選ぶとしたら情けないことです。経済力を基準にして男性を選ぶのは現実的でやむをえない判断ではありますが、品格は感じられません。ぜひ人間として品格のある人を、将来品格のある人になりそうな男性を選ぶ女性になってほしいものです。男性は動物のオスも含め女性を選ぶ必要性は低いようです。どうして立派な男性がこの程度の女性を選ぶのかと驚かされることがありますが、男性はえり好みが少なく、それだけ女性に対する選択肢があやふやです。女性がしっかり男性を選ぶことで世の中は変わります。男性を見極め選択するうえで「品格」を重視しましょう。それは結果として、一番将来性のあるパートナーを選ぶことになると思いますし、自分の品格を高めます。また男性たちが品格を身につけようと切磋琢磨することになり、ひいては日本の社会を品格あるものにしていきます。

過去にこだわらない

誇り高く生きるのと、威張るのは似て非なるものです。

自分は正しいことをしている、それなりに頑張って力をもっている、自分は過去にいい仕事を成し遂げた、努力してそこそこのポストまで行ったというのは誇らしいことです。「自分をほめてあげたい」気持ちになる経験もあるでしょう。そうした誇りは、卑しいことをしない恥ずかしいことをしないとか、助けを必要としている人に手を差し伸ばそうという行動にも結びつきます。誇りは名誉心にも通じる大事な心の動きです。「自分は卑しいことをしない」と自負して、誇り高い人生を送りたいものです。

しかし、それを人にひけらかす必要はありません。自分が理解され、敬意を払われるのはとてもうれしいことですが、それを人に強制することはできません。関係のない人があなたを正しく、きちんと知っているはずがないのです。「私のことを知らないのか」「私は軽んじられている」とがっかりすることはたびたびあります。高級な有料老人ホームでは、黄ばんだ過去の名刺の肩書きに、「元」と書き添えている高齢者が多いといわれます。自分の過去を評価してほしいと思うのは、人間として当然なことです。しかし企業なり、家族なり、小さな世界で自分のことをよく理解している人とだけ付き合っていれば傷つくことはありませんが、一歩その世界から外に出ると、自分の実力や実績を知ってくれている人はほとんどいません（衆議院議員の名前も、選挙区以外ではほとんど知られていないのが実情です）。

今までの日本の社会では、終身雇用や長期的取引の組織のなかで業績や能力を自分で宣伝しなくても、おのずと評価されていました。むしろ自分のことを宣伝するような人は、仲間の嫉妬を買い、反感をもたれるので、できるだけ謙虚に振舞うのが賢いとされていました。とりわけ女性は、つつましく、ひかえめにしているべきと考えられていました。

ところが人々の行動範囲が広がり、職場も流動化するなかで、外部の人からの評価が重要になり、女性たちもいかに自己をアピールするか、自分の能力や実績をアピールするかが問われるようになってきました。でも急に自己PRの時代になったからか、自己宣伝臭が強くてかえって反感をいだかせる人も増えています。仕事の上では、ある程度自己PRが不可避となっていますが、威張ってみせるのは自己宣伝の上でも好ましくありません。謙虚に振舞いつつ、しっかり過去の業績や経歴を情報として提供するのが上手な自己PRです。ましてや日常の個人的な付き合いでは、そうした自己宣伝は無用です。威張らず、卑下せず、等身大の自信をもちましょう。多くの女性は元気にみえても自分に自信や誇りをもたないことが多く心がいたみます。

地位の高い夫を誇り、自分も偉いように威張る女性は、本当に勘違いしているとしかいえません。むしろ日常生活においては、自分の仕事や、肩書きと関係のない世界をもち、そこの一員となりきって楽しむほうがいいのではないでしょうか。オーストラリアやアメリカでは、子どものスポーツチームのコーチ、教会の世話人を忙しい大企業の幹部が引き受けているのが普通です。ボランティアだけでなく趣味の世界でも同じです。仕事や家族と別の世界をもち、その世界のなかではその世界のルールに従い、普段とは別の交友関係を楽しむというのが良いと思います。〇〇夫人、〇〇ちゃんのお母さん、課長（部長）だけでなく、合唱団の一員である、地域で消費者活動をする、俳句の会では〇〇というように、いろいろな世界をもっているほうが、ずっと人生は豊かになります。過去の栄光は自分の心を温めてくれますが、人に知られることは期待しないでおきましょう。

権利を振り回さない

私の母は二〇〇四年九月に亡くなるまで、介護保険で保障された権利を行使しませんでした。きっと介護度1か2でそれほど深刻ではなかったからでしょうが、自分と家族で何とかできるうちは保険のお世話にならないというのが彼女のひそやかな誇りでした。

健康保険のお世話にもできるだけならないようにしていました。もちろんこれは古い考え方で、最近では国民は必要に応じてサービスを受ける権利があり、自分に保障された権利をなぜ使わないのか、という考え方が強くなってきています。

しかし私は福祉が整い国民皆年金、皆保険の制度が整った国になったからこそ、その制度を安定的に持続するためにも、とことん保険を利用して自分が得しようというのではなく、本当に必要な人が必要なときに利用するようにするのが品格ある国民だと思っています。保険が使えるのだから薬はもらえるだけもらおう、検査もできるだけやってもらおうという人と、収入確保を図る医療機関が多いと、利用するたびに何割か負担して無駄を減らそうと工夫しなければならなくなります。国民年金の掛け金も意図して自分だけが掛け金を払わなくても何とかなるだろうと不払いを続けていると、他の人々も正直者が馬鹿を見るのは嫌だと払うのが嫌になり、制度そのものがうまく機能しなくなります。文化的で健康な生活を保障するのは国の責務ですから、国民は必要ならば遠慮せず権利として生活保護を要求できますが、その前提として本人が自助努力をすることが求められます。

日本人にとって、契約によって権利と義務を明らかにしそれを守るというのは、ビジネスの世界では常識になってきましたが、私的な世界では契約どおり権利と義務を履行することに割り切れない人がまだまだたくさんいます。勤労者に保障されている権利でもそれを行使するときはちょっと感謝を表しましょう。

女性は職場では育児・介護休業法で保障されている休業や時間短縮の権利があります。女性が仕事と子育てを両立するためには必要不可欠の権利で、長い間女性たちが望み、多くの人が取り組んできた結果やっと獲得できた権利です。それだけにこうした権利を行使するときは周囲の同僚や上司に「ご迷惑をおかけします」「おかげさまで子どもをもたせていただけます」というように、感謝の言葉を忘れないようにしましょう。いくら法律があっても女性が休むと周囲の人の仕事の負担が増えたりすることも多く、「だから女性は困るんだ」と内心舌打ちしている人も多いのです。

「育児休業は私たちの権利です」と正論を言うと、そういう人たちの気持ちを逆なでします。同じことが雇用機会均等法にもいえます。均等法がない時代は、男性のみの求人が当たり前だったというと「うっそー」といわれる時代です。それでもいろいろな形で女性に対する差別は残っています。若くて、素直で、地位が低いうちは重宝がられても、女性がしっかり責任のある仕事をするようになると反感をもつ人もいます。差別は許されません。差別するほうが間違っているのはいうまでもありません。しかし個人の生き方としては自分の権利を振り回すより、皆さんのお陰でという感謝を表しながら黙って実力を蓄え、一目おかれる存在になるほうが、スムースに運びます。

ゴールデンルール

自分がしてほしくないことは人にもしないというのは品格ある生き方の基本です。これは孔子の教えですが、キリスト教では自分のしてほしいように相手にしなさいといいます。同じことを言っているようですが少し違います。自分のしてほしいことを相手がしてほしいと思っているとはかぎりません。人の好みはさまざまだからです。でも自分が嫌だと思うことはたいてい人もしてほしくないと思っています。

殺される、傷つけられる、盗まれるのはみな嫌です。だからこれらの行為は法律でも宗教でも、厳しく禁止されています。暴力を振るうのは粗暴以外の何ものでもありません。ましてや自分より弱い相手に暴力を振るうのは卑怯なことです。嘘をつかれるのは誰でも嫌ですから、自分も嘘をついてはいけません。相手が約束を守ってくれないといやならば、自分も約束を守らなければなりません。人にバカにされるのは嫌ならば人をバカにしないように振舞わなければなりません。威張られたり自慢されると不愉快ですから、自分も威張ったり自慢したりしないように気をつけます。恩着せがましくされるのは誰でも嫌ですから、自分も自制します。自分が一生懸命話しているのに、自分の話を聞かず仲間うちで、無駄話をしている人間は、誰でも癪に障りますから、人の話にも耳を傾けなければなりません。品格ある人とはこうしたことをさりげなく実行できる人です。人間としての基礎力といえるでしょう。

その基本は、自分が相手の立場でこんなことをされたら嫌だなと想像できることです。「自分のことで頭がいっぱい、とても人のことなんかかまっておれない」という「自己チュー」の人は、「人がこんなことをされたらどう思うだろう」と考えることもできません。自分のことだけで精一杯というのではなく、少しそれ以外の世界にも目を向けることができれば、相手が嫌がることはしないでおこうと思いとどまることができます。それが品格というものだと思います。

ところが往々にして、自分が暴力を受けながら育ったから子どもにも暴力を振るってしまう、上司に威張られると部下に威張ってみせる、ということが起こります。「育ちが悪い」といわれる人と「さすが苦労人」といわれる人の差は、自分の嫌な経験を人にさせないようにするか、自分も経験した嫌なことを人にも経験させて平気と思うかの違いです。

こんなことをすると他の人はどんな気持ちで自分を見るだろうと他人の目を想像できれば、はしたない真似はできません（もっともそればかり意識してしまい何もできなくなる人もいますが、それは本末転倒です）。人間としての教養で一番大切なのは、こうした普遍的な基準と自分の行動を照らし合わせて、自分で自分をコントロールする力をもつことかもしれません。

満足度をあげる

人間の満足度＝達成度÷欲望と割りきれるでしょうか。自分が欲しいと望んだものを手に入れれば満足を感じ、自分がやり遂げようと志した目標に達すれば満足するという単純な方程式です。現実はそう単純でなく、どれほど多くのことを成し遂げ、経済的に恵まれているように見える人でも、あまり自分の境遇に満足していなかったり、逆に貧しくても社会的な地位はなくても人生を楽しみ感謝している人もいます。満足感は客観的な基準ではなく相対的基準で計られるのです。私は昔「雪山黄金となるもその渇を癒すに足らず」という言葉に深い感銘を受けたことがあります。雪山（ヒマラヤの山々）の雪がみな黄金に変わったとしても、もっと欲しいという欲望は満たされることがない。どれほど多くを手に入れようと満足することはない、という意味の教えです。仏教は「むさぼる」（「怒る」「おろか」）ことから多くの罪が生じると教え、そうした欲望から解放されるよう勧めています。

私は若い頃、アメリカの教育が金持ちになりたい、成功したいという人間の欲望を肯定し、欲望を達成するべくチャレンジすることを奨励するのを見て、一種のさわやかさを感じました。日本では欲望を達成するようにはげますより欲望を抑えなさいと教えるから、若者のエネルギーが不完全燃焼して大きなチャレンジができないのだと日本の社会を批判していました。アメリカの国家にエネルギーがあふれているのは、個人の欲望を基本的に肯定しているからで、競争を悪いことだとは考えていませんでした（昨今の規制緩和、自由競争政策はこの考えにもとづいています）。

しかし今になって考えてみると、東洋の知恵のほうが人間を幸せにするように思います。欲望を追いかけているだけではけっして幸せな人生を送れない、欲望そのものを自分でコントロールできないと幸せになれないと実感します。所有欲、独占欲、名誉欲、権力欲と欲望には限りがありません。そうした欲望は満たされれば満たされるほど多くを望みます。まさに雪山黄金となるとも満足することはありません。何十億円資産をつくっても体がボロボロになってもマネーゲームでもっともっと儲けたいと寝食を忘れている人もいます。欲望から解放される、解脱するというのはとても難しいことで、修行をかさねてもその境地に達する人は稀です。物欲から解放された高僧でも嫉妬心からはなかなか解放されないといいます。それでも欲望のままに行動するのでなく、時に反省をし、自分を客観的に見ようと努力することが、人間の品格を高めます。

もっとうまくやればお金が儲かるかもしれない、もっと要領がよければ出世するかもしれない、とあがくことから一歩退いて、自分の誇りを守るため、正しいと信じることをするためには少し損をしてもいいという気構えをもちましょう。少なくとも自分にもほかの人にもよいことをしようと心がけましょう。上手にたちまわり、権力者にへつらって気にいられて成功した人をうらやんで嫉妬にとらわれることなく、「自分は自分」と考えれば心が乱れません。物を買うとき一円でも安く買おう、少しでも収入を増やそう、少しでも預金を増やそうと自分の利益だけ考えていると人間が卑しくなります。ある有名な経済人の未亡人で、資産を一〇〇〇億円以上もっている人でも、他人にはお金を使わないという人もいます。もっともっと金持ちになりたいと投資や運用に励むのでなく、自分のお金をもっと困っている人のために使う、社会的に意味のある仕事を応援するために使うことができる人になりたいものです。それによりお金が生きてくると同時に、本人もより心穏やかに満ち足りた人生を送ることができます。

倫理観をもつ

善いこと、悪いことの判断の基準は何でしょうか。幼いときは両親、特に母親の教えが大きい影響力をもちます。昔より緩やかになった国が多いとはいえ、キリスト教国、イスラム教国では聖書やコーランなどそれぞれの宗教の経典や聖職者の教えが基準となります。人の悪口を言わない、正直に勤勉に行動する、弱い人や困っている人を助ける、自分の欲望をコントロールするなどはすべての宗教で共通する教えです。

日本は宗教の影響が少ないとはいえ、地域共同体や家族の絆が強かった頃は、その集団の規範が人々の行動の基準でした。高度経済成長時代からは企業・組織がその役割を果たしました。特に男性たちは企業内部のルールに従い、よい製品やサービスを生み出し、利益をあげ企業が存続するため力を尽くしました。企業も社員の雇用を守り、教育や訓練を行い、福利厚生に務めてきました。そのなかでいろいろなルール、マナーや思いやりも形作られました。内輪の人には礼儀正しく、お互いを思いやり助け合い、また

「会社の恥にならないように」気をつけていました。それが行きすぎて企業や組織のためには談合も辞せず、法律違反のサービス残業も当たり前。利益をあげるためには少しくらい法律違反をしても大目に見る。（自分の私利私欲のために嘘をついたりごまかしたりするのは悪いことでも）そうした会社のためなら何をしても許されるという価値観がありました。

しかし最近では、企業の倒産、吸収合併、企業の売買も行われるなかでリストラなども横行するようになり、パートやアルバイト、派遣、契約などの正社員でない人が職場に増えています。企業本位の行動は、批判され、内部告発され、いろいろなスキャンダルや企業犯罪が起こりました。その反省から企業の法令順守、コンプライアンスが叫ばれるようになりました。

儲かればいい、お金がすべてというのではなく、社会の一員として守るべきルールを守ることが、企業にとって重要となっています。そのなかで働く人も社会の一員としてのルールを守るように求められることが多くなってきました。内部告発なども昔は裏切りとして非難される行動でしたが、最近では公益通報制度によって守られるようになりました。

今大事なのは会社人としてのルールを守ることだけでなく、人間としてのルールを守ることであり、人間としての誇りを守ることです。

神様や仏様など人間を超越した存在（something great）から見て恥ずかしいことをしていないと断言できる行動をするのが、人間の品格の基本です。また自分を省みるとともに、困っている人にできるだけ手を差し伸べる、世渡りの下手な人を応援するようにしてみましょう。いじめられている人を見て見ぬふりをしているのは加害者の一員です。そして勇気をもって正しいと思うことを発言する。悪いことを見て見ぬふりをしないように努めましょう。

日本が戦争への道を突き進んだプロセスを研究した人が、「言うべきことを、言うべきポストにいた人が発言しなかったからだ」と言っていました。危ないことはしたくない、体制に従っていればいいんだ、その時代の「空気」に流され「しかたがない」とあきらめて、自分には勢いをとどめる力がないと傍観して逃げていては、個人の品格だけでなく社会の品格も失われます。

明治から大正時代に日本を訪れた外国人は、日本の庶民のレベルの高さに感動しています。貧しくても正直で勤勉で礼儀正しく、思いやりがある庶民に社会の品格を感じています。当時より二十一世紀の日本人はずっと豊かになり、教育水準も高くなっています。私たち一人一人が品格ある人間として、品格ある女性として生きるよう努めたいものです。

あとがき――強く優しく美しく、そして賢く

女性にはいろいろな個性があります。背の高い人・低い人、体重の多い人・少ない人、おしゃべりが好きな人・嫌いな人、運動能力が優れている人・運動が得意でない人、音楽がうまい人・下手な人、細かい仕事が好きな人・苦手な人がいます。人によって個性は異なります。ハンディキャップがあろうがなかろうが、特別の才能があろうがなかろうが、一人一人の個人がかけがえのない人間として大事にされなければなりません。成績などの単一の尺度だけで人間を測ってはいけません。

しかし、一人一人の個人を野放しにしておいて、「自分の個性を発揮してください」と言うのは無責任です。小学校から大学まであらゆる教育機関は、一人一人の個性や才能を引き出し伸ばし発揮させなければなりませんが、個性を発揮するその前提となるのは基礎力です。

日本の伝統芸能ではまず型を習い、それを身につけた上で自分の個性を花開かせます。同様に女性たちも個性ある生き方をしようと思えば、まず節度のある生活習慣を身につけ健康な生活をすることです。そして読み書き話すというようなコミュニケーション力が必要です。次には、挨拶ができる、適切な服装を身につける、お礼ができるというような社会人としてのマナーを身につけることです。そして一番重要なのは、人間としての基礎力をもつことです。

人間としての基礎力とは何でしょうか。自分の行動や生き方の芯になる信念をもつことです。報酬を期待しないでなすべきことをなす、損をしても正しいことをする強さと言い換えてもいいでしょう。そして相手の立場に立って思いやることができる、弱いもの困っているものに手を差し伸べることができる、人間の弱さや不完全さを受け入れる温かさ、自然の美しさや健気さに心を動かす優しさをもっていることが大事です。女性としての品格は、そうした強さと優しさから生まれてくるのです。自分を卑下しすぎず、もちろんうぬぼれず、等身大の自信をもち、なにが重要でなにが些細なことかを見分ける賢さ、自分は今どういう役割を期待されているのかを把握して、黙るときは黙り、話すべきときは話す聡明さも不可欠です。

私は、社会や経済の変化のなかで女性たちが職場へ出ていくのを当然と思っています。そうした女性たちが女性だからということで差別を受けてはならないし、日本の女性も企業も、女性の力を活用することでもっと活力が出てくると思っています。

しかし女性が職場に出れば新しい試練が待ち受けています。そのなかで単にスキルを磨き、専門知識をもつ有能な職業人になることだけを目指さず、厳しい経済社会のなかで品格をもって生きていくにはどうすればよいか。単にお金や、出世のためだけでなく、人間として社会人として信頼されるように生きていくためにはどうすればよいか。媚を売って男性から好かれて昇進するのではなく、しっかりとした識見をもち一目置かれるような社会人として生きていくためにはどうしたらよいか。この本でいろいろな角度から考えてみました。

言葉をかえていえば、有能な中間管理職を目指す女性でなく、真のリーダーとなる女性になってほしいからです。この本では品格ある暮らし方、品格ある装い方、言葉や話し方というハウツー的なものと、生き方や行動規範に関わるものの両方を盛り込みました。品格をもって生きていくためには両方が必要だと思ったからです。

多くの女性、特にこれから仕事をし、社会で生きていく女性たちの参考になれば幸いです。

最後になりましたが、この本を書く機会を与えていただいたＰＨＰ研究所代表取締役の江口克彦氏と、お手を煩わした新書出版部の横田紀彦氏に心から御礼申し上げます。

平成十八年八月

坂東眞理子

PHP新書

PHP INTERFACE
http://www.php.co.jp/

坂東眞理子［ばんどう・まりこ］

1946年富山県生まれ。東京大学卒業。69年総理府入省。内閣広報室参事官、男女共同参画室長、埼玉県副知事等を経て、98年女性初の総領事（オーストラリア・ブリスベン）。2001年内閣府初代男女共同参画局長。04年昭和女子大学教授を経て、昭和女子大学副学長、同大学女性文化研究所長。2007年4月より同大学学長。
著書に『副知事日記——私の地方行政論』『ゆとりの国オーストラリア—ブリスベン総領事見聞録』（以上、大蔵省印刷局）、『男女共同参画社会へ』（勁草書房）、『新・家族の時代』（中公新書）などがある。

女性の品格

（PHP新書418）

装いから生き方まで

二〇〇六年十月三日 第一版第一刷
二〇〇七年十一月二十七日 第一版第四十八刷

著者——坂東眞理子
発行者——江口克彦
発行所——PHP研究所
東京本部——〒102-8331 千代田区三番町3-10
新書出版部 ☎03-3239-6298（編集）
普及一部 ☎03-3239-6233（販売）
京都本部——〒601-8411 京都市南区西九条北ノ内町11
組版——有限会社エヴリ・シンク
装幀者——芦澤泰偉＋児崎雅淑
印刷所
製本所——図書印刷株式会社

ISBN4-569-65705-2

ＰＨＰ新書刊行にあたって

「繁栄を通じて平和と幸福を」（PEACE and HAPPINESS through PROSPERITY）の願いのもと、ＰＨＰ研究所が創設されて今年で五十周年を迎えます。その歩みは、日本人が先の戦争を乗り越え、並々ならぬ努力を続けて、今日の繁栄を築き上げてきた軌跡に重なります。

しかし、平和で豊かな生活を手にした現在、多くの日本人は、自分が何のために生きているのか、どのように生きていきたいのかを、見失いつつあるように思われます。そして、その間にも、日本国内や世界のみならず地球規模での大きな変化が日々生起し、解決すべき問題となって私たちのもとに押し寄せてきます。

このような時代に人生の確かな価値を見出し、生きる喜びに満ちあふれた社会を実現するために、いま何が求められているのでしょうか。それは、先達が培ってきた知恵を紡ぎ直すこと、その上で自分たち一人一人がおかれた現実と進むべき未来について丹念に考えていくこと以外にはありません。

その営みは、単なる知識に終わらない深い思索へ、そしてよく生きるための哲学への旅でもあります。弊所が創設五十周年を迎えましたのを機に、ＰＨＰ新書を創刊し、この新たな旅を読者と共に歩んでいきたいと思っています。多くの読者の共感と支援を心よりお願いいたします。

一九九六年十月

ＰＨＰ研究所

[思想・哲学]

［言語・外国語］

［経済・経営］